Español
Quinto grado

Secretaría de Educación Pública

Esta edición de *Español. Quinto grado* fue desarrollada por la Dirección General de Materiales Educativos (DGME) de la Subsecretaría de Educación Básica.

Secretaría de Educación Pública
Alonso Lujambio Irazábal

Subsecretaría de Educación Básica
José Fernando González Sánchez

Dirección General de Materiales Educativos
María Edith Bernáldez Reyes

Coordinación técnico-pedagógica
Dirección de Desarrollo e Innovación
de Materiales Educativos, DGME/SEP
María Cristina Martínez Mercado, Ana Lilia Romero Vázquez,
Alexis González Dulzaides

Autoras
Erika Margarita Victoria Anaya, Luz América Viveros Anaya,
Virginia Tenorio Sil, Elizabeth Rojas Samperio, Martha Judith
Oros Luengo, Hilda Edith Pelletier Martínez, Aurora Consuelo
Hernández Hernández

Revisoras técnico-pedagógicas
Natividad Hermelinda Rojas Velázquez, Abraham García
Peña, Norma Guadalupe Ramírez Sanabria, Alicia Núñez
Barboa

Coordinación editorial
Dirección Editorial, DGME/SEP
Alejandro Portilla de Buen, Pablo Martínez Lozada,
Esther Pérez Guzmán

Cuidado editorial
Cyntia Ruiz

Producción editorial
Martín Aguilar Gallegos

Formación
María del Sagrario Ávila Marcial
Magali Gallegos Vázquez

Iconografía
Diana Mayén Pérez y Enrique Martínez Horta

Portada
Diseño de colección: Carlos Palleiro
Ilustración de portada: Gabriela Podestá

Primera edición, 2010
Segunda edición, 2011 (ciclo escolar 2011-2012)

D.R. © Secretaría de Educación Pública, 2010
        Argentina 28, Centro,
        06020, México, D.F.

ISBN: 978-607-469-655-4

Impreso en México
DISTRIBUCIÓN GRATUITA-PROHIBIDA SU VENTA

Servicios editoriales
Grupo Editorial Siquisirí, S.A. de C.V.

Cuidado editorial
Ana Laura Delgado, Angélica Antonio,
Ana María Carbonell

Diseño y diagramación
Isa Yolanda Rodríguez, Rosario Ponce Perea, Gabriela
Cabrera Rodríguez

Ilustración
Alejandro Herrerías (pp. 5-37,178-180), Margarita Sada
(pp. 4, 40-71), Heyliana Flores (pp. 74-115, 183), Carlos
Vélez (pp. 118-155, 181), Tania Juárez (pp. 158-175)

Créditos iconográficos
p. 9, *Alegoría de la coronación de Iturbide*, anónimo, sin
fecha, óleo sobre tela, 67 x 49 cm, Museo Nacional de
Historia, Conaculta-INAH-MEX, reproducción autorizada
por el Instituto Nacional de Antropología e Historia. p. 10:
Agustín de Iturbide, Primitivo Miranda, 1865, óleo sobre
tela, 246 x 162 cm. Museo Nacional de Historia. Conaculta-
INAH-MEX, reproducción autorizada por el Instituto
Nacional de Antropología e Historia. p. 11: *Es proclamado
Iturbide primer emperador de México la mañana del 19
de mayo de 1822*, anónimo, sin fecha, óleo sobre tela, 61
x 48 cm, Museo Nacional de Historia, Conaculta-INAH-
MEX, reproducción autorizada por el Instituto Nacional de
Antropología e Historia. p. 44: *Ciclón Catarina visto desde
la Estación Espacial Internacional. Primer huracán observado
sobre el Océano Atlántico Sur el 26 de marzo de 2004*, cerca
de Brasil, fotografía: NASA. p. 118 © Photo Stock.

Agradecimientos
La Secretaría de Educación Pública agradece a los más de
38 mil maestros y maestras, a las autoridades educativas de
todo el país, al Sindicato Nacional de Trabajadores de la Educación,
a expertos académicos, a los Coordinadores Estatales de Asesoría
y Seguimiento para la Articulación de la Educación Básica, a los
Coordinadores Estatales de Asesoría y Seguimiento para la Reforma
de la Educación Primaria, a monitores, asesores y docentes de
escuelas normales, por colaborar en la revisión de las diferentes
versiones de los libros de texto llevada a cabo durante las Jornadas
Nacionales y Estatales de Exploración de los Materiales Educativos y
las Reuniones Regionales, realizadas en 2008 y 2009.
        La SEP extiende un especial agradecimiento a la Universidad
Pedagógica Nacional (UPN) por su participación en el desarrollo de
esta edición.
        También se agradece el apoyo de las siguientes instituciones:
Universidad Autónoma Metropolitana, Centro de Educación y
Capacitación para el Desarrollo Sustentable de la Secretaría del
Medio Ambiente y Recursos Naturales, Escuela Normal Superior de
México, Ministerio de Educación de la República de Cuba. Asimismo,
la Secretaría de Educación Pública extiende su agradecimiento a
todas las personas e instituciones que de manera directa e indirecta
contribuyeron a la realización del presente libro de texto.

Presentación

La Secretaría de Educación Pública, en el marco de la Reforma Integral de la Educación Básica, plantea una propuesta integrada de libros de texto desde un nuevo enfoque que hace énfasis en la participación de los alumnos para el desarrollo de las competencias básicas para la vida y el trabajo. Este enfoque incorpora como apoyo Tecnologías de la Información y Comunicación (TIC), materiales y equipamientos audiovisuales e informáticos que, junto con las bibliotecas de aula y escolares, enriquecen el conocimiento en las escuelas mexicanas.

Después de varias etapas, en este ciclo se consolida la Reforma en los seis grados y, en consecuencia, se presenta esta propuesta completa de los nuevos libros de texto, que abarca la totalidad de las asignaturas en todos los grados.

Este libro de texto incluye estrategias innovadoras para el trabajo escolar, demandando competencias docentes orientadas al aprovechamiento de distintas fuentes de información, el uso intensivo de la tecnología, la comprensión de las herramientas y de los lenguajes que niños y jóvenes utilizan en la sociedad del conocimiento. Al mismo tiempo, se busca que los estudiantes adquieran habilidades para aprender de manera autónoma, y que los padres de familia valoren y acompañen el cambio hacia la escuela mexicana del futuro.

Su elaboración es el resultado de una serie de acciones de colaboración, como la Alianza por la Calidad de la Educación, así como con múltiples actores entre los que destacan asociaciones de padres de familia, investigadores del campo de la educación, organismos evaluadores, maestros y expertos en diversas disciplinas. Todos han nutrido el contenido del libro desde distintas plataformas y a través de su experiencia. A ellos, la Secretaría de Educación Pública les extiende un sentido agradecimiento por el compromiso demostrado con cada niño residente en el territorio nacional y con aquellos que se encuentran fuera de él.

Secretaría de Educación Pública

Conoce tu libro

Bienvenido a tu quinto grado de primaria y a las nuevas experiencias que te esperan durante el presente ciclo escolar.

Tu libro de Español contiene cinco bloques y cada uno está constituido por tres proyectos, excepto el quinto, que sólo contiene dos. Los proyectos se basan en el desarrollo de las prácticas sociales del lenguaje, a través de un conjunto de actividades, con las que se pretende que incrementes tus competencias lectoras y de redacción.

Al inicio de cada proyecto se presenta el ámbito al que pertenece, su propósito, las actividades que desarrollarás y el producto que debes obtener. También hallarás una lista de los recursos que emplearás en el desarrollo de estas actividades.

En los siguientes diagramas se muestran las secciones y apartados que van apareciendo en tu libro.

ESTUDIO 15

Fichero del saber

¿Para qué sirve la coma?
Acabas de utilizarla para enumerar varios elementos. También se utiliza cuando se enumeran cualidades, características u objetos. Investiga los usos de la coma, redacta una ficha e intégrala a tu fichero.

arraron ante el

relaciones entre

los hechos y

den en que

tanto lógica

licen nexos y

cia, por tanto,

las ideas.

información en

ismático

Fichero del saber. Para esta sección escribirás: definiciones, conceptos y aprendizajes construidos por ti mismo.

Lo que conozco

En muchas ocasiones, habrás escuchado expresiones como "el que mucho abarca, poco aprieta" o "el pez por su boca muere". Las utilizamos de manera frecuente en nuestras pláticas con familiares y amigos; los abuelos saben muchas más. ¿Sabes cómo se llaman estas frases y cuándo se usan?, ¿usas algunas?, ¿cuáles?, ¿en qué ocasiones?

Éstas son expresiones que se usan en nuestra lengua desde hace cientos de años con la intención de dar un consejo o una enseñanza y se denominan refranes. Comenta la siguiente expresión con tus compañeros y maestro.

"El que tiene más saliva, traga más pinole".

Pregunta a familiares, amigos, vecinos o conocidos los refranes que se sepan y en qué situaciones los usan. Anótalos en tu cuaderno.

■ Cuida no repetir el refrán que haya dicho otro compañero.

Lo que conozco. Es una actividad con la cual vas a recordar lo que sabes sobre el proyecto.

A buscar

Lleva al salón varios menús gastronómicos. Compáralos y comenta qué información proporcionan unos y otros, cómo la organizan, qué semejanzas y diferencias encuentras entre ellos.

Observa la forma en que están escritos los menús, qué tipo de letra tienen, qué colores o ilustraciones.

Comenta en grupo por qué crees que los menús se presentan de esa forma y cómo harías uno. Selecciona los que más te gustaron y que contengan la información que consideres más importante.

Una alimentación correcta

Organízate con tu equipo e investiga cuáles son los alimentos, cantidades y nutrimentos que se necesitan en cada uno de los siguientes casos:

■ Para mantenerse en el peso ideal
■ Para subir de peso
■ Para deportistas de alto rendimiento
■ Para una mujer embarazada
■ Para un niño

A buscar. En este apartado se te indica cómo encontrar la información necesaria para el desarrollo del proyecto.

Producto final

Ordenen los textos de los equipos, de manera que, de todo el grupo, se forme un solo relato histórico de la época. Intégrenlos en una redacción. Cuiden que los párrafos se enlacen entre sí. Eviten repeticiones y revisen el uso de nexos.

Al final del texto escriban algunas conclusiones que expresen la importancia del suceso histórico.

Redacten en grupo una breve introducción en la que presenten el relato general (de qué trata, qué periodo abarca).

Revisen de nuevo toda la redacción global del grupo. Corríjanla cuantas veces sea necesario, agreguen y ordenen las ideas hasta que mejore, incluyan algunas ilustraciones. Revisen la ortografía y puntuación.

Si tienen información que aporte algún dato poco conocido, curioso, sorprendente o relevante y no lo incluyeron, redacten textos breves para que los incluyan en cuadros a los márgenes del texto principal a manera de cápsulas informativas.

Publiquen el relato del grupo en el periódico escolar.

Producto final. Es el producto que has desarrollado con tus compañeros a lo largo del proyecto, como un cartel, una ficha informativa o un cancionero. En este apartado realizarás la última revisión y corrección del producto antes de compartirlo con tus compañeros o con la comunidad.

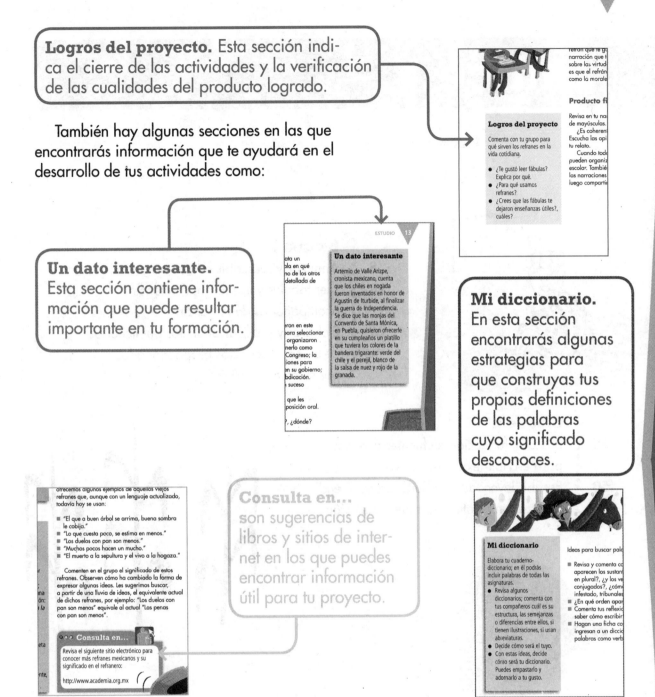

Logros del proyecto. Esta sección indica el cierre de las actividades y la verificación de las cualidades del producto logrado.

También hay algunas secciones en las que encontrarás información que te ayudará en el desarrollo de tus actividades como:

Un dato interesante. Esta sección contiene información que puede resultar importante en tu formación.

Mi diccionario. En esta sección encontrarás algunas estrategias para que construyas tus propias definiciones de las palabras cuyo significado desconoces.

Consulta en... son sugerencias de libros y sitios de internet en los que puedes encontrar información útil para tu proyecto.

Para completar tu aprendizaje es necesario que sepas lo que has aprendido y para esto concluye el bloque con dos partes:

En la **autoevaluación** se reflexiona sobre el conjunto de actitudes y los procedimientos que dominas.

La **evaluación del bloque**, por su parte, tiene como propósito que identifiques algunos conocimientos y habilidades básicas de los proyectos.

Cuando haya terminado el ciclo escolar, llena el cuestionario **¿Qué opinas de tu libro?** para decirnos qué te pareció y en qué podemos mejorarlo. ¡Tu opinión es muy valiosa!

Índice

3 Presentación

4 Conoce tu libro

Bloque I

8 Analizar y reescribir relatos históricos

18 Leer fábulas y escribir narraciones acompañadas de un refrán

26 Elaborar y publicar anuncios publicitarios de bienes o servicios proporcionados por su comunidad

Bloque II

38 Buscar información en fuentes diversas para escribir textos expositivos

50 Escribir leyendas y elaborar un compendio

64 Realizar un boletín informativo radiofónico

Bloque III

74 Leer, resumir y escribir textos expositivos que impliquen clasificación

86 Leer y escribir poemas

102 Expresar por escrito una opinión fundamentada

Bloque IV

116 Reeditar un artículo de divulgación

128 Hacer una obra de teatro con personajes prototípicos de cuentos

138 Hacer un menú

Bloque V

152 Describir personas por escrito con diferentes propósitos

160 Planear, realizar, analizar y reportar una encuesta

172 Bibliografía

175 ¿Qué opinas de tu libro?

I

BLOQUE

PROYECTO:

Analizar y reescribir relatos históricos

El propósito de este proyecto es escribir textos históricos basados en diferentes fuentes de información.

En este proyecto conocerás estrategias para ordenar y reescribir información, donde integrarás datos de distintos textos, para luego publicar uno en el periódico escolar o en el periódico mural del aula.

Para este proyecto necesitarás:

- textos históricos
- libros de la biblioteca de la escuela

Lo que conozco

Comenta con tu grupo qué relatos históricos has leído, dónde puedes encontrarlos y qué tipo de información proporcionan. ¿Cómo los distingues de un cuento, de una novela, de una leyenda, de un artículo científico o una nota informativa?

Agustín de Iturbide

Consumada la Independencia, y cuando se trató de organizar el gobierno, Iturbide, que en Iguala había declarado que no ambicionaba ningún puesto público y que sólo aceptó, a muchas instancias, el título de jefe del Ejército Trigarante, tomó la dirección de los asuntos públicos y nombró la junta provisional gubernativa, compuesta por 38 individuos y de la cual excluyó a los veteranos de la guerra de Independencia. La junta lo eligió su presidente. Más tarde fue nombrado presidente de la Regencia, que fue compuesta por cinco individuos, en lugar de tres. A su padre, don Joaquín de Iturbide, se le concedieron honores de regente.

La regencia decretó un sueldo para Iturbide de 120 000 pesos anuales, a contar desde la fecha del Plan de Iguala (24 de febrero de 1821), un millón de pesos de capital propio, la propiedad de un terreno de 20 leguas en cuadro en Texas, y el tratamiento de Alteza Serenísima. Durante el tiempo que formó parte de la Regencia, Iturbide dio muestras de talento y energía. El 18 de mayo de 1822 el sargento Pío Marcha proclamó emperador de México a don Agustín de Iturbide. La proclamación fue ratificada por el Congreso el 20 de mayo, y la coronación de Iturbide y su esposa se efectuó el 21 de julio.

Durante su reinado, Iturbide creó la Orden de Guadalupe, que fue más tarde restaurada por Santa Ana y después por Maximiliano; en el orden político tuvo muchas y muy graves dificultades, especialmente por parte del Congreso; disolvió a éste, y cuando se efectuó su jura el 24 de enero de 1823, ya había estallado la revolución acaudillada por Santa Anna, en contra del Imperio. El Plan de Casa Mata, que pedía la instalación inmediata del Congreso, el reconocimiento de la soberanía de la nación y prohibía que se atentase contra la persona del Emperador, fue proclamado el 1 de febrero.

El Plan de Veracruz, proclamado por Santa Anna el 6 de diciembre de 1822, iba ganando terreno y por fin Iturbide presentó su abdicación al Congreso el 20 de marzo de 1823. Iturbide salió con su familia de Tacubaya, donde residía, el 29 de marzo, y se dirigió a Veracruz, donde se embarcó rumbo a Europa. Llegó a Liorna el 20 de agosto de 1823 y fue a vivir a la Villa Guevara, propiedad de la princesa Paulina de Bonaparte. Pasó a Florencia y a Inglaterra. El Congreso mexicano, por decreto del 28 de abril del mismo año, le había declarado traidor y fuera de la ley, lo cual era ignorado por él. El 4 de mayo salió de Londres con dirección a México y desembarcó en Soto la Marina el 14 de julio. Fue aprehendido y procesado por el Congreso de Tamaulipas, y sentenciado a muerte. La sentencia se cumplió en Padilla el 19 de julio de 1824.

Alberto Leduc, Luis Lara Pardo y Carlos Roumagnac, *Diccionario de geografía, historia y biografía mexicanas.* París, Librería de la viuda de C. Bouret, 1910, p. 485.

La coronación del emperador Iturbide

A la puerta de la Catedral esperaban dos obispos, los cuales dieron agua bendita al emperador y emperatriz, quienes siguieron hacia el trono chico. El obispo consagrante, que era el de Guadalajara, y los obispos de Puebla, Durango y Oaxaca estaban en el presbiterio vestidos de pontifical. Los generales que conducían las insignias las colocaron en el altar. Empezada la misa, el emperador y la emperatriz bajaron del trono chico para ir a las gradas del altar, donde el obispo consagrante hizo a ambos la unción sagrada en el brazo derecho, entre el codo y la mano. Se retiraron al pabellón para que los canónigos Alcocer y Castillo les enjugasen el santo crisma; y vueltos a la iglesia se bendijeron la corona y las demás insignias imperiales. Mangino, el presidente del Congreso, colocó la corona sobre la cabeza del emperador y éste colocó la suya a la empera-

triz. Las demás insignias las pusieron, al emperador, los generales, y a la emperatriz, sus damas. Se trasladaron entonces al trono grande y al terminar el obispo la última de las preces, éste se dirigió a la concurrencia y dijo: "Vivat Imperator in aeternum", a lo que contestaron los asistentes: "Vivan el emperador y la emperatriz".

Alamán, Lucas, "Gobierno de Iturbide como emperador" en *Historia de México*. México, Imprenta de Lara, 1852, págs. 632-633.

Un dato interesante

Artemio de Valle Arizpe, cronista mexicano, cuenta que los chiles en nogada fueron inventados en honor de Agustín de Iturbide, al finalizar la guerra de Independencia. Se dice que las monjas del Convento de Santa Mónica, en Puebla, quisieron ofrecerle en su cumpleaños un platillo que tuviera los colores de la bandera trigarante: verde del chile y el perejil, blanco de la salsa de nuez y rojo de la granada.

A buscar

¿Sabes quién fue Agustín de Iturbide?
Busca en tu libro de Historia y en otros libros, textos que relaten lo ocurrido en México cuando Agustín de Iturbide fue emperador.

Llévalos al salón y léelos en equipo.

Ya que has leído con suma atención, contesta las preguntas:

- ¿Dónde coronaron a Iturbide como emperador?
- ¿Quién coronó a Iturbide?
- ¿Qué crees que sean las demás "insignias imperiales"?

Lee el siguiente texto:

Agustín de Iturbide.
¿Cuál fue su delito?

Es muy difícil hacer un balance del primer gobierno que tuvo México como estado independiente. Iturbide encabezó un imperio primero como regente y luego como emperador, en el que no había recursos para pagar tropas ni sueldos de los empleados públicos. Muchos productores lo apoyaron por la promesa de reducir o eliminar impuestos y cargas tributarias que después le hicieron falta como gobernante.

La delincuencia azotaba a la población y no había un sistema de administración de justicia que le permitiera actuar; de ahí que solicitara al Congreso el establecimiento de tribunales militares, medida que fue rechazada por los constituyentes.

Se debe señalar que los republicanos en la época del Imperio eran muy pocos y que el respaldo a la monarquía constitucional como forma de gobierno era casi unánime, pero Iturbide tuvo problemas con los partidarios de la República desde un principio. En noviembre de 1821 descubrió una primera conspiración, en la que participaban Josefa Ortiz de Domínguez y Guadalupe Victoria. Poco después, Servando Teresa de Mier, Vicente Rocafuerte y el enviado colombiano, aunque veracruzano, Miguel Santa María, promovieron la caída del imperio. En agosto de 1822, Iturbide envió a la cárcel a los diputados conspiradores.

Ávila, Alfredo, "Agustín de Iturbide. ¿Cuál fue su delito?" en *Relatos e historias de México*; año II, núm. 19, marzo 2010, págs. 49-50.

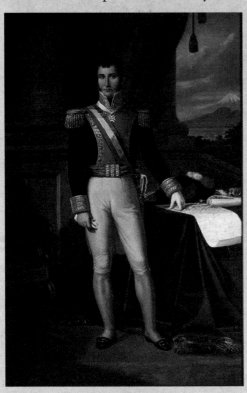

Contesta las siguientes preguntas:

- ¿Cuáles fueron las causas que llevaron al fracaso al imperio de Iturbide?
- ¿Qué consecuencias acarreaba el hecho de que hubiera mucha delincuencia?
- ¿Por qué el gobierno de Iturbide y el de los partidarios de la república eran incompatibles, es decir, no podían tolerarse unos a otros? Para responder, recuerda las diferencias entre monarquía y república como sistemas de gobierno.

Un texto más sobre el mismo tema:

Movimiento a favor del imperio

Los partidarios de Iturbide, una parte de los monarquistas y el clero empezaron a trabajar por la coronación de Iturbide como emperador. En el convento de San Hipólito se hallaba el regimiento de infantería número 1, al que se había incorporado el de Celaya, y en la noche del 18 de mayo de 1822, después del toque de retreta, el sargento Pío Marcha hizo tomar las armas a la tropa proclamando el nombre de Agustín I, y varias partidas salieron proclamando por las calles el mismo nombre; mientras otros en los barrios hacían levantar al pueblo con el mismo objeto, derramándose por las calles con atronadores gritos y asaltando los campanarios. Entonces se escuchó un repique a vuelo y el estallido de mil cohetes. Iturbide, que estaba al tanto de todo y lo fomentaba ocultamente, mandó llamar a varios generales para pedirles su opinión de si admitiría o no la corona, y le aconsejaron que así lo hiciese, y el Congreso fue convocado para la mañana del día siguiente, 19, por medio de su presidente, Cantarines, quien fue uno de los que estaban en la conferencia.

Arróniz, Marcos, "México independiente" en *Manual de historia y cronología de Méjico*. París, Librería de Rosa y Bouret, 1858, págs. 219-220.

ES PROCLAMADO YTURBIDE PRIMER EMPERADOR DE MEXICO LA MAÑANA DEL 19 DE MAYO D 1822

Contesta:

- ¿Quiénes querían la coronación de Iturbide?
- ¿Qué opinaba Iturbide del motín?
- ¿Por qué fue convocado el Congreso?

Mi diccionario

¿Encontraste palabras desconocidas en los relatos históricos que leíste anteriormente? Registra todos los vocablos que desconozcas e investiga su significado en diferentes fuentes, puedes encontrarlo dentro del mismo texto, deducirlo a partir del contexto o preguntarlo a tus compañeros o maestro. Contrasta la información, construye tu propio significado de cada palabra y escríbelo.

Elabora tu propio diccionario en hojas, tarjetas o cuaderno aparte; en él podrás incluir las palabras que te interesan de todas las asignaturas.

- Revisa cómo están hechos los diccionarios.
- Decide cómo será el tuyo.
- Puedes empastarlo y adornarlo a tu gusto.

Ideas para buscar palabras en un diccionario:

- Revisa y comenta con tus compañeros cómo aparecen los sustantivos: ¿en singular o en plural?, ¿y los verbos, en infinitivo o conjugados?, ¿cómo buscarías definición para: infestado, tribunales, insignias, exilio?
- ¿En qué orden aparecen?
- Comenta tus reflexiones con tus compañeros para saber cómo escribir las palabras que definirán.
- Hagan una ficha con las características con que ingresan a un diccionario diferentes tipos de palabras, como verbos, sustantivos y artículos.

Reconstruyan los hechos

El texto "Agustín de Iturbide" relata un panorama general de la época. Señala en qué puntos de ese texto ubicarías cada uno de los otros tres textos que dan información más detallada de sucesos específicos.

En equipo, utilicen los textos que leyeron en este proyecto y los que trajeron al salón para seleccionar un suceso; por ejemplo: el motín que organizaron los seguidores de Iturbide para imponerlo como emperador; la sesión tumultuosa del Congreso; la coronación de Iturbide; las conspiraciones para derrocarlo; las decisiones que tomó en su gobierno; la reinstalación del Congreso; o su abdicación.

Verifiquen que cada equipo tenga un suceso diferente.

Discutan las siguientes preguntas, que les servirán para preparar una breve exposición oral.

- ¿Qué (suceso) ocurrió?, ¿cuándo?, ¿dónde?
- ¿Quiénes participaron?
- ¿Por qué (causas) ocurrió?
- ¿Qué consecuencias trajo?

Apóyense en un esquema de preguntas y respuestas para hacer una narración oral de los sucesos, como si ustedes hubieran vivido esa época.

Armen la historia: antes, después, finalmente...

Escucha los diferentes relatos y toma notas de las exposiciones de los otros equipos. En plenaria, comenta con tus compañeros qué episodios irían primero, y cuáles después. Hagan una lista de los sucesos en orden cronológico y encuentren sus causas y consecuencias. Por ejemplo:

Causa: Se rumoraba que el Congreso pretendía disminuir el número de militares.

Consecuencia: Los militares organizaron un motín para proclamar a Iturbide emperador, pues les había prometido conservarlos en sus puestos.

Causa: Iturbide redujo y eliminó varios impuestos a quienes lo habían apoyado.

Consecuencia: No contó con el dinero necesario para su gobierno.

Hay algunas palabras que se utilizan frecuentemente para indicar cuándo ocurrieron los hechos que se relatan. Busca en los textos que leíste estas palabras para saber el tiempo y el orden de los acontecimientos. Subráyalas.

Fichero del saber

En los textos hay algunas palabras que indican el tiempo o el momento en que ocurrieron los hechos narrados, por ejemplo: luego, después, inmediatamente, al final, apenas. Estas palabras se denominan adverbios de tiempo.

Con tu grupo, redacta una definición de adverbio de tiempo:

Primero, escriban en el pizarrón los adverbios de tiempo que conozcan. Después comenten qué tienen en común y elaboren entre todos una definición.

Anoten también algunos ejemplos.

Existen frases que, aunque no son adverbios, también nos sirven para saber el orden y el tiempo cuando sucedieron los acontecimientos, por ejemplo: fechas (en 1822) o periodos (entre 1821 y 1824), y se conocen como nexos temporales.

Astuto, perseverante, carismático y popular

En tu libro de Historia encontrarás una imagen que representa a Agustín de Iturbide (en el tema "Luchas internas y primeros gobiernos").

Observa con cuidado sus detalles y elabora un párrafo en el que menciones las características físicas de este personaje histórico.

Con base en los textos que leíste, completa la descripción con las características que deduzcas de su personalidad.

Recuerda utilizar comas entre cada característica que menciones.

Puedes incluir este párrafo en el relato histórico que elaborarás con tu grupo.

Escriban un episodio

En equipo, retomen el episodio que narraron ante el grupo y escríbanlo.

- ¿Es claro?, ¿cómo relacionas las causas con las consecuencias?
- Indica el tiempo o el momento en que acontecen los hechos.
- ¿Cuál es el orden en que acontecen?
- La narración debe estar ordenada tanto lógica como temporalmente. Para ello, utilicen nexos y adverbios (*cuando*, *en consecuencia*, *por tanto*, *debido a*) para darle secuencia a las ideas.
- Observen cómo está ordenada la información en el texto "Agustín de Iturbide".

SENTIMIENTOS DE LA NACIÓN

HISTORIA DE MÉXICO

CONSTITUCIÓN POLÍTICA DE LOS ESTADOS UNIDOS MEXICANOS

Fichero del saber

¿Para qué sirve la coma? Acabas de utilizarla para enumerar varios elementos. También se utiliza cuando se enumeran cualidades, características u objetos. Investiga los usos de la coma, redacta una ficha e intégrala a tu fichero.

Producto final

Ordenen los textos de los equipos, de manera que, con los de todo el grupo, se forme un solo relato histórico de la época. Cuiden que los párrafos se enlacen entre sí. Eviten repeticiones y revisen el uso de nexos temporales.

Al final del texto escriban algunas conclusiones que expresen la importancia del suceso histórico.

Redacten en grupo una breve introducción en la que presenten el relato general (de qué trata, qué periodo abarca).

Una vez concluido, revisen de nuevo todo el texto. Corríjanlo cuantas veces sea necesario, agreguen y ordenen las ideas hasta que mejore, incluyan algunas ilustraciones. Revisen la ortografía y puntuación.

Si tienen información que aporte algún dato poco conocido, curioso, sorprendente o relevante y no lo incluyeron, redacten textos breves para que los incluyan en cuadros a los márgenes del texto principal a manera de cápsulas informativas.

Publiquen el relato del grupo en el periódico escolar.

Logros del proyecto

Comenta con tus compañeros:

- ¿Cómo aprendiste a relacionar varios textos e integrarlos en uno solo?
- ¿Dónde localizaste la información para escribir el texto?
- ¿Cómo identificaste las causas y consecuencias del suceso histórico?

Autoevaluación

Es tiempo de revisar lo que has aprendido después de trabajar en este proyecto. Lee cada enunciado y marca con una palomita (✓) la opción con la cual te identificas.

	Lo hago muy bien	Lo hago a veces y puedo mejorar	Necesito ayuda para hacerlo
Empleo adverbios y frases que indican tiempo.			
Reconozco el orden de sucesos históricos.			
Identifico la relación que existe entre textos que narran sucesos semejantes.			

Marca con una palomita (✓) la opción que diga la manera como realizaste tu trabajo:

	Siempre	A veces	Me falta hacerlo
Aporto ideas al trabajo en equipo.			
Respeto el punto de vista de otros compañeros.			

Me propongo mejorar en:_____

_____

PROYECTO: Leer fábulas y escribir narraciones acompañadas de un refrán

El propósito de este proyecto es que conozcas las características de las fábulas y los refranes para escribir una narración que contenga una moraleja. Difundirás tu texto en el periódico escolar y, de ser posible, armarás una antología o compendio con las narraciones de tus compañeros.

Para este proyecto necesitarás:

- fábulas
- refranes
- libros de la biblioteca de la escuela
- pliegos de papel
- tarjetas blancas

Lo que conozco

En muchas ocasiones habrás escuchado expresiones como "el que mucho abarca, poco aprieta" o "el pez por su boca muere". Las utilizamos de manera frecuente en nuestras pláticas con familiares y amigos; los abuelos saben muchas más. ¿Sabes cómo se llaman estas frases y cuándo se usan?, ¿usas algunas?, ¿cuáles?, ¿en qué ocasiones?

Éstas son expresiones que se usan en nuestra lengua desde hace cientos de años con la intención de dar un consejo o una enseñanza y se denominan refranes. Comenta la siguiente expresión con tus compañeros y maestro.

"El que tiene más saliva, traga más pinole."

Pregunta a familiares, amigos, vecinos o conocidos los refranes que se sepan y en qué situaciones los usan. Anótalos en tu cuaderno.

- Léelos en clase y escribe alguno en el pizarrón.
- Cuida no repetir el refrán que haya escrito otro compañero.
- Coméntalos.

Selecciona algunos refranes para que el profesor los anote en un pliego de papel y lo fije en el salón.

Fichero del saber

Los refranes son dichos ingeniosos de uso común. Elabora tu propia definición de refrán. Di de qué partes se componen y para qué se usan. Escribe algunos ejemplos.

A jugar con las palabras

Los refranes tienen dos partes. La primera propone una situación muy particular como *Al mal tiempo…*, *Camarón que se duerme…*; la segunda parte propone una consecuencia de esa situación: *…buena cara, …se lo lleva la corriente.*

De los refranes que investigaste, elige algunos y escribe en una tarjeta la primera parte, y en otra tarjeta la segunda parte. Ahora, ¡juega memorama con tus compañeros! Cada vez que armes un refrán correctamente, dirás su significado y así ganarás el par de tarjetas.

Refranes de ayer y hoy

En *El ingenioso Hidalgo don Quijote de la Mancha* de Miguel de Cervantes Saavedra, obra publicada hace más de 400 años, aparecen —casi siempre en boca de Sancho Panza— los refranes que la gente acostumbraba decir en esa época. Aquí te ofrecemos algunos ejemplos de aquellos viejos refranes que, aunque con un lenguaje actualizado, todavía hoy se usan:

- "El que a buen árbol se arrima, buena sombra le cobija."
- "Lo que cuesta poco, se estima en menos."
- "Los duelos, con pan son menos."
- "Muchos pocos, hacen un mucho."
- "El muerto a la sepultura y el vivo a la hogaza."

Comenten en el grupo el significado de estos refranes. Observen cómo ha cambiado la forma de expresar algunas ideas. Les sugerimos buscar, a partir de una lluvia de ideas, el equivalente actual de dichos refranes; por ejemplo: "Los duelos, con pan son menos" equivale al actual "Las penas, con pan son menos".

○○○ Consulta en...

Revisa el siguiente sitio electrónico para conocer más refranes mexicanos y su significado en el refranero:

http://www.academia.org.mx

Un ejemplo de fábula

Así como los refranes, las fábulas también expresan la sabiduría popular. Lee en voz alta la siguiente.

El cuervo y el zorro

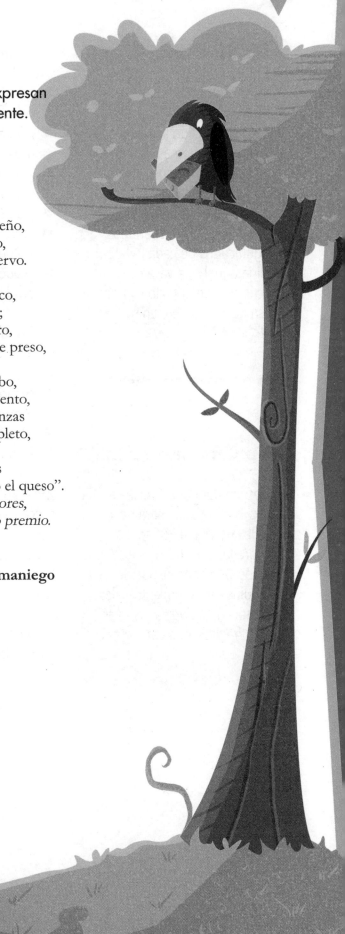

En la rama de un árbol,
bien ufano y contento,
con un queso en el pico,
estaba el señor cuervo.

Del olor atraído
un zorro muy maestro,
le dijo estas palabras,
a poco más o menos:

"Tenga usted buenos días,
señor cuervo, mi dueño;
vaya que estáis donoso,
mono, lindo en extremo;

yo no gasto lisonjas,
y digo lo que siento;
que si a tu bella traza
corresponde el gorjeo,

juro a la diosa Ceres,
siendo testigo el cielo,
que tú serás el fénix
de sus vastos imperios".

Al oír un discurso
tan dulce y halagüeño,
de vanidad llevado,
quiso cantar el cuervo.

Abrió su negro pico,
dejó caer el queso;
el muy astuto zorro,
después de haberle preso,

le dijo: "Señor bobo,
pues sin otro alimento,
quedáis con alabanzas
tan hinchado y repleto,

digerid las lisonjas
mientras yo como el queso".
Quien oye aduladores,
nunca espere otro premio.

Félix María Samaniego

Mi diccionario

Es muy probable que en las fábulas encuentres palabras cuyo significado sea nuevo o desconocido para ti. ¿Sabes lo que significa donoso, lisonja, gorjear o adulador? Infiere lo que pueden significar y luego busca en un diccionario los significados de cada palabra. Elige aquel que vaya de acuerdo con el texto y anota esa nueva palabra en tu diccionario.

Un dato interesante

Desde la antigua Grecia se escribían fábulas para hacer reflexionar a las personas sobre la consecuencia de sus actos. Se conocen más de 270 fábulas de Esopo; entre ellas destacan *La zorra y las uvas* y *La gallina de los huevos de oro*.

Comenta con un compañero:

- ¿Por qué estaría el cuervo parado en la rama de un árbol con un trozo de queso en el pico?
- ¿Qué quiere decir el autor con la frase "un zorro muy maestro"?
- ¿Por qué te parece agradable o desagradable el graznido de los cuervos?
- ¿Qué significa tener "bella traza"?
- ¿Por qué el zorro alabó la voz del cuervo?
- ¿Qué ocurrió cuando el cuervo comenzó a graznar?
- ¿Qué significa la conclusión: "Quien oye aduladores nunca espere otro premio"?

En tu cuaderno, reconstruye con tus palabras lo que ocurrió en la fábula. Guíate con estas oraciones.

- Al principio, un cuervo estaba muy contento.
- Luego llegó un zorro y le dijo:
- Al oír al zorro, el cuervo...
- Al final, el zorro le dijo al cuervo que:

¿Te han adulado alguna vez para obtener algo a cambio? ¿Qué piensas de eso?

_____

_____

_____

Anota en tu cuaderno cuál es la enseñanza o moraleja de esta fábula.

¿Cuál de los tres siguientes refranes se relaciona con la moraleja del texto anterior?

- "Cría cuervos y te sacarán los ojos."
- "No dejes para mañana lo que puedes hacer hoy."
- "A palabras necias, oídos sordos."

Nunca falta un roto para un descosido

Lee en voz alta estas otras fábulas.

El león y el ratón

Un león aprisionó a un ratón pues con su ruido molestaba su siesta. El ratón imploró el perdón aceptando su imprudencia. Inesperadamente, el león le otorgó el perdón. Poco después, cazando, el león tropezó con una red oculta en la maleza; por más que quiso salir quedó prisionero.

Rugía desesperadamente dándose por muerto cuando el ratón llegó y comenzó a roer la red. Tanto royó que ésta se rompió y pudo liberar al león.

Conviene al poderoso ser piadoso con el débil; tal vez pueda necesitar de él algún día.

Samaniego, Félix María
(adaptación)

El perro y el trozo de carne

Un perro llevaba un jugoso trozo de carne en el hocico cuando pasó cerca de un estanque. En el agua se vio reflejado, pero creyó que se trataba de otro perro y quiso arrebatarle el alimento.

Su avaricia fue engañada pues, al abrir el hocico, soltó el trozo de carne que llevaba y éste se hundió hasta el fondo del estanque.

Quien ansía lo de otro, puede terminar perdiendo también lo propio.

Fedro
(adaptación)

Fichero del saber

La enseñanza o moraleja aparece generalmente al final de una fábula; nos hace reflexionar sobre las virtudes y defectos humanos, sobre las consecuencias de nuestros actos, y nos deja una enseñanza. Toda fábula tiene una moraleja. Escribe en una ficha, con tus propias palabras, una definición para fábula. Compárala con las de tus compañeros e intégrala en tu fichero.

Una vez que has leído las fábulas, relaciona las moralejas con alguno de los siguientes refranes.

"Haz el bien sin mirar a quien."
"Al ojo del amo engorda el caballo."
"Más vale pájaro en mano que ciento volando."
"Más pronto cae un hablador que un cojo."
"Perro que ladra no muerde."

Escribe en tu cuaderno por qué relacionaste cada fábula con el refrán elegido, luego comparte la información con el grupo.

Inventa una fábula

Ahora que ya reconoces las características tanto de los refranes como de las fábulas, selecciona un refrán que te guste y, a partir de él, redacta una narración que tenga como propósito reflexionar sobre las virtudes o defectos de los humanos. La idea es que el refrán aparezca al final de tu narración como la moraleja.

Producto final

Revisa en tu narración: ortografía, puntuación y uso de mayúsculas.

¿Es coherente lo narrado con la moraleja? Escucha las opiniones de tus compañeros y mejora tu relato.

Cuando todos hayan terminado sus textos, pueden organizarse para publicarlos en el periódico escolar. También pueden armar una antología con las narraciones e ilustrarla según sus gustos para luego compartirla con sus compañeros y familiares.

Logros del proyecto

Comenta con tu grupo para qué sirven los refranes en la vida cotidiana.

- ¿Te gustó leer fábulas? Explica por qué.
- ¿Para qué usamos refranes?
- ¿Crees que las fábulas te dejaron enseñanzas útiles?, ¿cuáles?

Autoevaluación

Es tiempo de revisar lo que has aprendido después de trabajar en este proyecto.
Lee cada enunciado y marca con una palomita (✓) la opción con la cual te identificas.

	Lo hago muy bien	Lo hago a veces y puedo mejorar	Necesito ayuda para hacerlo
Identifico las características de las fábulas.			
Entiendo la función de los refranes.			
Aplico adecuadamente los refranes en situaciones cotidianas.			

Marca con una palomita (✓) la opción que diga la manera como realizaste tu trabajo:

	Siempre	A veces	Me falta hacerlo
Investigo la información que necesito.			
Aporto ideas al trabajo en equipo.			

Me propongo mejorar en:_____

_____

PROYECTO: Elaborar y publicar anuncios publicitarios de bienes o servicios proporcionados por su comunidad

El propósito de este proyecto es que identifiques la estructura, función, organización gráfica y características de los anuncios publicitarios. Elaborarás uno en el que anuncies un producto o servicio que se ofrezca o se produzca en tu comunidad.

Para este proyecto necesitarás:

- anuncios
- revistas
- periódicos

Lo que conozco

¿Alguna vez te has sorprendido repitiendo o cantando la canción de algún anuncio? ¿A qué crees que se deba que muchas veces te aprendas la frase principal de un mensaje publicitario? Comenta con tus compañeros.

Un buen anuncio necesita muy pocas palabras, pero deben ser contundentes, de manera que en un solo golpe de vista consiga atrapar la atención de quien lo observa. Lleva a la escuela algunos anuncios publicitarios que encuentres en periódicos o revistas.

Anuncios, anuncios y más anuncios

En las calles, en el transporte público y en las revistas aparecen anuncios o carteles que promueven productos y servicios. ¿Alguna vez has elaborado un anuncio con fines de venta? ¿Tus ventas se lograron con esa publicidad? ¿Qué elementos tienen los anuncios? ¿Para qué sirven estos elementos? Comenta con tus compañeros.

Elaborar un anuncio publicitario no es tarea sencilla, por eso trabajarás y reflexionarás respecto de sus elementos y características.

Observa, con tus compañeros, los siguientes carteles.

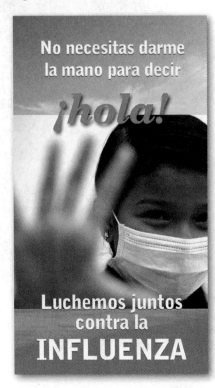

Propósitos de los anuncios

Los anuncios están hechos con un propósito específico. Cuando presentan información acerca de un beneficio para las personas, tienen un fin social o político, y se denominan *propaganda*. Cuando lo que se persigue es promover o vender un producto y tienen un fin comercial, se denominan *publicitarios*. ¿Cuál crees que es la función de los anuncios anteriores? Anótalo en tu cuaderno y presenta un ejemplo.

Comenta en grupo para qué crees que sirva un anuncio; cuáles recuerdas haber visto en el periódico, en la calle, en el transporte, o escuchado en el radio o en la televisión. En tu cuaderno haz una lista de cinco anuncios y descríbelos tomando en cuenta la siguiente tabla.

Fichero del saber

Escribe tu definición de anuncio publicitario. Comenta y compara tu definición con las de tus compañeros; después, realiza las modificaciones que creas apropiadas para que quede lo más clara y completa posible.

Medio (radio, televisión, periódico, cine, revista, cartel)	Producto anunciado	Frase principal	Imagen (si la hay)	Propósito (comercial, político, social)

Analiza anuncios

En grupo, compara los anuncios y comenta ¿qué finalidades tienen?, ¿qué recursos utilizan los diferentes medios (imágenes estáticas o en movimiento; música y frases)?

Lleven anuncios publicitarios al salón. Formen equipos, cada equipo seleccione un anuncio y analícenlo: ¿qué anuncia?, ¿con qué propósito lo hace?, ¿quiénes aparecen o participan en el anuncio?, ¿tiene una frase publicitaria o eslogan? Presenten sus conclusiones frente al grupo.

Mujer bonita, héroe apuesto, joven rebelde

Es común que los anuncios publicitarios recurran a estereotipos para representar, de manera esquemática, tipos de personas o actividades: mujeres como amas de casa, hombres rudos y poco sensibles, niños jugando con pelotas y niñas con muñecas. Investiga qué es un estereotipo y propón al grupo algunos ejemplos de anuncios que los usen.

Con tu equipo, analiza anuncios en distintos medios (televisión, radio, internet, cartel, revista, periódico). Observa qué tipo de persona está representada, qué

actividades realiza, qué objetos y tipo de vestuario la rodean, qué características físicas tiene, qué tipo de lenguaje utiliza.

Comenta con tu grupo cómo repercuten en los lectores los estereotipos que aparecen en los anuncios.

Productos maravillosos...

¿Encontraste anuncios con publicidad engañosa? Hay anuncios que prometen resultados increíbles. ¿Qué frases utilizan para enganchar al posible cliente? ¿Qué imágenes y estereotipos emplean para atraer compradores? ¿Cómo te puedes dar cuenta del engaño? ¿Qué opinas de esta publicidad?

Comenta con tus compañeros y maestro tu opinión respecto a las frases publicitarias que presentan los anuncios de esta página.

Los adjetivos en los anuncios

Los publicistas utilizan frecuentemente adjetivos calificativos y adverbios en los anuncios, así realzan las cualidades del producto o servicio que ofrecen, por ejemplo: "Pantalones Rayo. Para el hombre valiente y audaz", o "Bella: cubre todas tus imperfecciones".

Encuentra los adjetivos calificativos de los anuncios publicitarios que llevaste al salón y exponlos frente al grupo. ¿Qué función tienen los adjetivos calificativos en esos anuncios?

Fichero del saber

Construye, junto con tus compañeros, una definición de adverbio. Después consulta otros libros y completa tu definición. Incluye todo lo investigado en una ficha y guárdala en tu fichero.

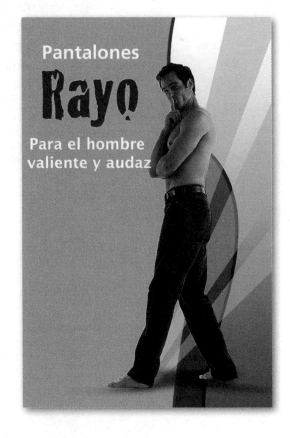

¡A jugar con las palabras!

Como los buenos publicistas, tú también puedes crear, con un poco de ingenio, frases publicitarias inolvidables. ¿Quieres intentarlo? Elabora una frase publicitaria para una caja de polvo lunar. Escríbela dentro del anuncio en el espacio asignado. Comparte tu trabajo con el resto del grupo.

Puedes jugar también a hacer frases de otros productos como una bicicleta voladora, clases de natación, o una campaña de vacunación de mascotas

Piensa rápida y efectivamente

Lee las siguientes frases publicitarias.

- Refresco Explosión, termina *rápidamente* con la sed.
- Relojes Presto para llegar *puntualmente*.
- Con plumas Tintex escribirás *limpiamente*.

Localiza el verbo conjugado y luego discute con tus compañeros para qué sirven las palabras en cursivas. Copia las frases publicitarias en tu cuaderno, léelas con atención y localiza las palabras que indican cómo, cuándo y dónde se realizaron las acciones; subráyalas.

Después, sustituye las palabras subrayadas por otras que indiquen lo contrario, por ejemplo: *rápidamente* por *lentamente*, *limpiamente* por *suciamente*. ¿Qué pasa con los verbos?, ¿qué pasa con el significado de las frases? Comenta con tu grupo.

Finalmente, trata de localizar más palabras que cumplan la función de adverbios, esto es, que indiquen la forma en que se realizan las acciones o que cambian el sentido de un verbo. Subráyalas y compara tu trabajo con el de tus compañeros.

rápidamente

efectivamente

"Lo bueno, si breve, dos veces bueno" Baltasar Gracián

La frase publicitaria de los anuncios suele usar juegos de palabras, imitar frases o canciones cambiándoles el sentido, hacerle preguntas al destinatario, emplear rimas, repeticiones o palabras en sentido figurado… en fin, todo para conseguir quedarse en la memoria de quien lee o escucha el anuncio.

Analiza con tu equipo el eslogan de algunos anuncios publicitarios, y después comenta en grupo sus características: ¿juega con las palabras?, ¿dice mucho con pocas palabras?, ¿es sugerente?, ¿te hace una pregunta?, ¿parodia (se burla de) alguna otra frase, dicho o canción?

Una vez analizadas las características de los textos comenta las propiedades gráficas de los anuncios: tipo, color y tamaño de letra; lugar que ocupa en el impreso; extensión de la frase.

○○○ Consulta en…

Para obtener más información, te sugerimos consultar los siguientes sitios electrónicos:

- http://cecadesu.semarnat.gob.mx
- http://www.facilita.ilce.edu.mx

Producto final

Para finalizar el proyecto, realizarás un anuncio publicitario. Puede ser de algún producto o servicio que ofrezca o elabore tu familia, tu comunidad o tu escuela; puedes promover el cuidado del agua, de la electricidad, o recomendar un libro que te haya gustado. Tienes una buena oportunidad para crear un anuncio publicitario con todos los elementos que aprendiste hasta ahora.

Elige un compañero y, en pareja, seleccionen el producto al que le harán publicidad. Recuerden a quién va dirigido el anuncio al tomar la decisión.

Hagan un esbozo o borrador: qué ilustración incluirán, dónde la colocarán; qué frase publicitaria puede ser efectiva, qué adverbios y adjetivos ayudarían a realzar el producto o servicio. Les sugerimos que muestren su borrador a su maestro y compañeros, y que escuchen sus comentarios.

Recuerda revisar la ortografía y la puntuación de tu trabajo, antes de elaborar la versión final.

Ahora están listos para difundir su anuncio publicitario. Colóquenlo en un lugar apropiado para que cumpla su función.

Cuida el agua

Logros del proyecto

Comenta con tus compañeros:

- ¿Piensas que el cartel que realizaste al final del proyecto cumplirá su función?
- ¿Te surgió el interés por saber algo más acerca de cómo se hacen los anuncios publicitarios?
- ¿Qué fue lo más difícil de hacer y aprender en este proyecto?

Autoevaluación

Es tiempo de revisar lo que has aprendido después de trabajar en este proyecto.
Lee cada enunciado y marca con una palomita (✓) la opción con la cual te identificas.

	Lo hago muy bien	Lo hago a veces y puedo mejorar	Necesito ayuda para hacerlo
Identifico las características de las frases publicitarias.			
Elaboro un cartel publicitario.			
Escribo con ortografía y puntuación correctas.			

Marca con una palomita (✓) la opción que diga la manera como realizaste tu trabajo:

	Siempre	A veces	Me falta hacerlo
Colaboro con mi equipo.			
Aporto ideas al equipo y al grupo.			

Me propongo mejorar en: _____

_____

La basura en su lugar

Evaluación del bloque I

Es tiempo de que revises lo que has aprendido después de trabajar en este bloque.
Lee cada enunciado y subraya la opción que consideres correcta.

1. Para reconstruir el orden de los acontecimientos podemos utilizar:

   a) Nexos como *y, o, ni, que*.

   b) Palabras que indiquen tiempo: *dos años, después, un mes, antes,* en *1860*.

   c) Signos de interrogación.

   d) Nombres de personas y lugares.

2. Se utiliza mayúscula inicial cuando:

   a) Se escribe un sustantivo común a medio párrafo.

   b) Se escribe un adjetivo calificativo.

   c) Se escriben nombres propios.

   d) Se escribe un verbo en presente.

3. En cuál de los siguientes ejemplos se utiliza la coma para separar
   los elementos de un listado:

   a) El 24 de febrero de 1821, en Iguala, se proclamaba el plan que recogía
       los anhelos de la mayoría de los americanos.

   b) Ciudades como Valladolid y Querétaro se rendían al aviso de la llegada
       de Iturbide. Así sucedió también en Guadalajara, Saltillo, Zacatecas, y
       hasta en Yucatán.

   c) Estratégicamente hablando, Guerrero, a pesar de sus triunfos, estaba
       cercado por Iturbide.

   d) El virrey Apodaca puso fuera de la ley a Iturbide y ordenó combatirlo,
       pero fue inútil.

4. Son dichos agudos y sentenciosos, de uso común y popular.

   a) Los poemas.

   b) Los refranes.

   c) Las fábulas.

   d) Los chistes.

5. No es característico de una fábula:

   a) Utilizar animales como personajes.

   b) Elogiar y festejar los defectos humanos.

   c) Finalizar con una moraleja.

   d) Explicar el origen del mundo.

6. La moraleja es:

   a) Lo que dice uno de los personajes al iniciar la fábula.

   b) La enseñanza o lección que se deduce de una fábula.

   c) El comentario final de un personaje.

   d) La opinión acerca de cómo está escrita la fábula.

7. Es el elemento de los carteles que identifica el producto o servicio que se anuncia:

   a) Frase publicitaria o eslogan.

   b) Tamaño del anuncio.

   c) Ilustraciones.

   d) Tipo de letra.

8. Los anuncios publicitarios se pueden clasificar, por sus propósitos, en:

   a) Históricos, sociales y culturales.

   b) Sociales, comerciales y políticos.

   c) Estéticos y comunitarios.

   d) Sociales, estéticos y culturales.

9. Los anuncios publicitarios suelen utilizar estereotipos, es decir:

   a) Presentan frases contagiosas.

   b) Ofrecen productos que no necesitas.

   c) Representan esquemáticamente cierto tipo de personas o actividades.

   d) Son vistosos y coloridos.

10. Elabora en tu cuaderno un texto en el que expongas lo más importante de lo aprendido en los tres proyectos de este bloque. Cuida tu redacción y ortografía.

Ámbito: Estudio

PROYECTO:

Buscar información en fuentes diversas para escribir textos expositivos

El propósito de este proyecto es que aprendas a buscar información en diferentes fuentes para escribir un texto expositivo, analizando sus características, elementos y forma en que se usa el lenguaje.

Para este proyecto necesitarás:

- Libros o revistas que contengan textos expositivos del tema elegido por el grupo

Lo que conozco

Comenta con tus compañeros dónde consultas
la información que necesitas investigar para
desarrollar un tema. Platica en qué casos usas
diccionarios, enciclopedias, revistas, periódicos,
libros o Internet. ¿En qué fuentes buscarías si
necesitas saber cuáles son las plantas del desierto,
las zonas sísmicas de México o las leyes de
Reforma? ¿Dónde buscarías información sobre el
último sismo ocurrido en el país?

Selección de tema

Entre todo el grupo revisen qué temas investigarán
en alguna de las siguientes asignaturas: Ciencias
Naturales, Geografía e Historia, y elijan uno para
todo el grupo.

Organizados por equipos, concursarán para
encontrar la información más precisa, completa y
concisa del tema elegido. Pero antes de comenzar la
búsqueda, repasaremos algunas pistas para detectar
dónde está la información.

Secretos de un buen sabueso

Para comenzar a buscar sobre un tema, lo primero
es saber qué buscarás y dónde lo encontrarás.
Aunque tenga una ilustración de volcanes, el libro
no necesariamente trata de las erupciones; tal vez
puede contener la leyenda del Popocatépetl y la
del Iztaccíhuatl. Por esta razón es importante que
aprendas a buscar la información en las fuentes
adecuadas.

Podrías consultar una enciclopedia temática, pero
¿qué palabra buscarías ahí? Para esto necesitas saber
cuáles son las *palabras clave* que necesitas buscar.

¿Y si no está en orden alfabético, en qué
apartado estará tu tema? Para esto debes identificar
a qué *materia* corresponde lo que buscas.

Un dato interesante

Los investigadores buscan la misma información en más de dos fuentes para compararla y analizarla; hacerlo les permite verificar que la información es veraz y confiable. Al igual que los investigadores, cerciórate que la información que utilizas tiene estas características.

Y si tu tema es sólo una pequeña parte de un tema más grande, ¿cómo encontrarás las respuestas en un libro? Puedes revisar el *índice general*, *sumario* o *tabla de contenido* del libro.

Preguntas para abrir boca

Por medio de una lluvia de ideas, elaboren preguntas acerca de un tema.
    Tema ejemplo: Diversidad de ecosistemas en México.

- ¿Qué es un ecosistema?
- ¿Cuáles son sus características?
- ¿Cuántos ecosistemas hay en la República Mexicana?
- Además del desierto, ¿qué otros ecosistemas hay en México?
- ¿Qué características tiene el bosque de pino-encino?
- ¿Por qué se dice que México es biodiverso?

    Escriban otras preguntas en sus cuadernos.
    Como habrán notado, todas las preguntas se hicieron partiendo de *ecosistema* y su diversidad en México. Para esto, primero necesitan conocer qué es ecosistema, para saber por qué en México hay varios y cuáles son sus características. Para saber más sobre este tema, puedes consultar el Bloque II de tu libro de Ciencias Naturales.

Palabras clave

En una pregunta puede haber una o dos palabras clave. Las palabras clave son el tema central de la pregunta: qué se desea saber de qué asunto. Acostumbra subrayarlas para no perder de vista lo que buscas.
    Identifica y marca las palabras clave de las preguntas anteriores y de las elaboradas por ti. Compara tu trabajo con el de tus compañeros. Ejemplo: ¿Qué características tiene el *bosque templado*?

Lluvia de dudas

Ahora, anoten en el pizarrón el tema sobre el que van a investigar.

- Elaboren muchas preguntas sobre el tema y anoten algunas. Hagan preguntas que requieran definir y describir el problema, encontrar causas y consecuencias, preguntar si hay posibles soluciones.
- Identifiquen y subrayen las palabras clave.
- Elijan una o dos preguntas de las que escribieron y, de acuerdo con las palabras clave que identificaron, lleven al salón varios materiales como libros, revistas o artículos para obtener información acerca del tema. También podrán usar los libros de la biblioteca de su salón.

Dónde buscar

En nuestro país existen diversos ecosistemas, cada uno tiene características diferentes: temperatura, precipitación, seres vivos que lo habitan. Subraya en cuáles de los siguientes libros encontrarías información sobre este tema.

- *Geografía de México*
- *Diccionario de términos literarios*
- *Historia breve de México*
- *Enciclopedia de ecología*
- *Relatos de la selva*
- *Diccionario de Ciencias Naturales*
- *Atlas de historia mundial*

Argumenta tu selección y escucha lo que comenten tus compañeros.

Índices

Te presentamos parte de los índices de tres de los libros anteriores. ¿Cuál será útil para investigar sobre ecosistemas?, ¿cuál libro subrayaste en la actividad anterior?

Índice

Historia breve de México

1. El tiempo prehispánico 13
2. La era virreinal 53
3. El periodo formativo 77
4. El tramo moderno 121
5. La Revolución Mexicana 137
6. El momento actual 159

Índice

Enciclopedia de la ecología

1. Litoral marino, estuarios, manglares y arrecifes 13
2. El bioma nerítico, el bioma pelágico y los afloramientos 21
3. Los bosques de coníferas y la tundra 29
4. Los bosques templados caducifolios 37
5. Los bosques tropicales caducifolios 45
6. La selva tropical lluviosa 53
7. Las praderas y las sabanas 61
8. Los biomas del desierto 69

Índice

Relatos de la selva

1. La tortuga gigante 85
2. Las medias de los flamencos 93
3. El loro pelado 99
4. La guerra de los yacarés 107
5. La gama ciega 121
6. El paso del Yabebirí 139
7. La abeja haragana 143

Guía con índices

Guiados por las preguntas y las palabras clave identificadas, lean exclusivamente los índices de distintos materiales.

Marquen con un separador dónde podría, según el índice, encontrarse información útil para responder las preguntas.

Verificación de predicciones

Lean en grupo tanto el subtítulo del índice como, en extenso, el texto señalado para comprobar si la información adecuada estaba donde, según los datos del índice, se señalaba.

Hagan esto con varios materiales para verificar si la información encontrada a partir del índice es pertinente. Discutan el resultado de sus predicciones.

¿Qué características tienen los títulos y subtítulos que permiten predecir el contenido de un texto?

La información relevante

Trabajen uno de los textos. ¿Qué información es *importante y necesaria* para responder la pregunta que formularon?

- ■ Tomen notas para responder las preguntas.
- ■ Comparen qué palabras usan para anotar sólo lo importante.
- ■ Verifiquen la ortografía de las palabras consultando los propios textos.

Con ayuda del maestro, anoten las referencias bibliográficas de cada material empleado, ya sea un libro, una revista o un sitio electrónico.

Un dato interesante

Plutón, que durante 76 años fue considerado un planeta del Sistema Solar, en 2006 dejó de serlo; ahora es sólo un cuerpo celeste que está en órbita alrededor del Sol.
El resultado de dos años de debates tuvo como consecuencia la nueva definición de planeta que dio la Unión Astronómica Internacional. Actualmente el Sistema Solar cuenta con ocho planetas.
No hay verdades absolutas, están en constante cambio por el avance de la ciencia y la tecnología.

Textos expositivos

En un texto expositivo se muestran de forma neutra y objetiva determinados hechos o realidades. Por esa razón, no basta con lo que un autor crea o suponga sobre un tema; es necesario recopilar información sobre el hecho, asegurarse de que es veraz para divulgar conocimientos ciertos y confiables.

Los textos expositivos están organizados por medio de títulos y subtítulos con la finalidad de presentar la información de manera clara, ordenada y ágil para que el lector pueda ubicarla con mayor facilidad.

Para responder las preguntas, elaboren pequeños textos que buscarán:

- definir algo.
- establecer relaciones de causa-efecto.
- describir eventos o procesos.

Textos para definir

Cuando la pregunta sea ¿qué es? o ¿cómo se define?, responde con sencillez y claridad las características del concepto, por ejemplo.

¿Qué es un ciclón?

Un ciclón es una concentración anormal de nubes que gira en torno a un centro de baja presión atmosférica, cuyos vientos convergentes rotan en sentido contrario a las manecillas del reloj a grandes velocidades. Sus elementos principales son lluvia, viento, oleaje y marea de tormenta. Se clasifican de tres modos de acuerdo con la fuerza de sus vientos: depresión tropical, tormenta tropical, y huracán, el cual tiene cinco categorías.

"¿Qué hacer en caso de... ciclones?" en *Desastres. Guía de prevención*. México, Secretaría de Gobernación-Cenapred, 2006, pág. 14.

Textos para establecer relaciones de causa-efecto

Cuando las preguntas sean ¿por qué ocurre?, ¿qué provoca?, ¿a causa de qué?, contesta mencionando las causas de un suceso y cómo están relacionadas con sus efectos. Ejemplo:

¿Por qué se producen los incendios forestales?

Los incendios forestales son producidos principalmente por quemas de limpia para uso del suelo en la agricultura, quemas de pasto para la obtención de 'pelillo' que sirve como forraje, con el objeto de combatir plagas y otros animales dañinos; fogatas en los bosques; lanzamiento de objetos encendidos sobre la vegetación herbácea; tormentas eléctricas, desprendimiento de las líneas de alta tensión y acciones incendiarias intencionales.

"¿Qué hacer en caso de... incendios?", en Desastres. Guía de prevención. México, Secretaría de Gobernación-Cenapred, 2006, pág. 36.

Textos para describir eventos o procesos

Cuando tienes que responder a las preguntas: ¿cómo se produce?, ¿qué características tiene?, ¿cuál es el origen?, debes redactar la descripción del proceso, suceso o fenómeno, enfatizando lo que ocurre, paso a paso. Lee el siguiente ejemplo:

¿Cómo se origina un tsunami?

Para que un terremoto origine un tsunami, el fondo marino debe ser movido abruptamente en sentido vertical, de modo que el océano es impulsado fuera de su equilibrio normal. Cuando esta inmensa masa de agua trata de recuperar su equilibrio, se generan las olas. El tamaño de las olas del tsunami estará determinado por la magnitud de la deformación vertical del fondo marino. En la gran mayoría de los casos, el movimiento inicial que provoca la generación de los tsunamis es una dislocación vertical de la corteza terrestre en el fondo del océano, ocasionada por un sismo.

"¿Qué hacer en caso de... tsunamis?" en Desastres. Guía de prevención. México, Secretaría de Gobernación-Cenapred, 2006, pág. 49.

El uso de nexos

En los textos expositivos se utilizan los nexos, que tienen como función unir palabras o enunciados para explicar o dar ejemplos, para señalar un orden, causa o consecuencia.

Localiza ese tipo de nexos en los siguientes párrafos y después elabora la ficha correspondiente para el Fichero del saber.

Un tsunami puede penetrar ríos, quebradas o marismas varios kilómetros tierra adentro, por lo tanto hay que alejarse de éstos.

El *aviso* se emite cuando se detecta la presencia de un fenómeno; la alerta se emite cuando el fenómeno puede causar daño; la emergencia se declara cuando el fenómeno se aproxima y la *alarma* se transmite cuando el fenómeno está afectando ya a determinadas comunidades.

La preparación se efectúa en tres momentos básicos: antes de que ocurra el desastre porque generalmente las personas no consideran que les pueda ocurrir algún desastre; durante el desastre porque el miedo y la confusión no hacen posible la mejor toma de decisiones; después del desastre porque la visión del desorden y desequilibrio pueden llevarlas a ocasionar más contratiempos.

Los volcanes activos representan un riesgo para la población cercana, por tanto, debemos conocer los peligros que pueden presentarse.

Comienza la búsqueda

Con las herramientas de búsqueda que ahora conoces, organízate con tu equipo para responder las preguntas que les asigne su maestro.

Observen que algunas implican definir, establecer relaciones causa-efecto o describir eventos o procesos.

Búsqueda, selección y redacción

Lean atentamente las preguntas. Identifiquen las palabras clave y las frases importantes y seleccionen en la escuela o en casa el material útil, reúnanlo en el salón y, antes que otra cosa, revisen los índices.

- Títulos y subtítulos, palabras clave, recuadros e ilustraciones para que decidan qué materiales les serán útiles.
- Una vez que localicen la información, señalen las páginas que les servirán o tomen notas de los textos para tener a la mano la información requerida.
- Lean cuidadosamente el texto para encontrar la información específica.
- Redacten la respuesta atendiendo al tipo de pregunta: de definir, de causa-efecto o de descripción de proceso.
- Cada respuesta debe tener una oración tópica (principal) y otras de apoyo (secundarias) que incluyan explicaciones, ejemplos y descripciones. Empleen nexos para que el texto sea más claro.
- Anoten la referencia bibliográfica de cada material empleado.

Mi diccionario

Si durante la lectura encontraste muchas palabras nuevas y de significado desconocido, agrégalas a tu diccionario.

Es muy probable que las palabras nuevas que encontraste sean tecnicismos.

Si reconstruiste con claridad el significado de estas palabras, seguramente podrás utilizarlas en la redacción de tu texto expositivo.

Producto final

Para escribir el texto expositivo:

- Vuelvan a leer las preguntas con sus respuestas, si es necesario, mejórenlas.
- Asegúrense de que cada pregunta tenga una respuesta clara y pertinente.
- Ordénenlas de acuerdo con la importancia de la información.
- Pueden eliminar las preguntas. Si lo hacen, revisen la coherencia entre los párrafos y si expresan claramente la información que quieren comunicar.
- Revisen la separación de las palabras, el uso de mayúsculas al inicio de cada párrafo, la ortografía y la puntuación. Si no saben cómo se escribe una palabra, consulten su escritura en el libro, revista o fuente.

Es momento de compartir su investigación con el grupo.

- Lean su texto.
- Seleccionen los más precisos y que hayan utilizado apropiadamente las fuentes de consulta.
- Intercambien sus textos con otros equipos. Escuchen sus comentarios y sugerencias. Enriquezcan su texto.
- Elaboren la versión final, si es posible, háganlo en una computadora.
- Reproduzcan varios ejemplares y distribúyanlos entre los compañeros de escuela, maestros y familiares.
- Inclúyanlo en el periódico mural.

Logros del proyecto

Comenta con tus compañeros el procedimiento para elaborar las preguntas a partir de un tema general y cómo encontraste las respuestas. También comenta la importancia de anotar las referencias de las revistas, libros o cualquier otra fuente consultada.

Autoevaluación

Es tiempo de revisar lo que has aprendido después de trabajar en este proyecto. Lee cada enunciado y marca con una palomita (✓) la opción con la cual te identificas.

	Lo hago muy bien	Lo hago a veces y puedo mejorar	Necesito ayuda para hacerlo
Uso palabras clave para encontrar información.			
Encuentro información específica con ayuda de índices, títulos y subtítulos.			
Cotejo con las fuentes para verificar la ortografía.			

Marca con una palomita (✓) la opción que diga la manera como realizaste tu trabajo:

	Siempre	A veces	Me falta hacerlo
Llego a acuerdos con mi equipo.			
Escucho con respeto a los demás.			

Me propongo mejorar en: _____

_____

Ámbito: Literatura

PROYECTO: Escribir leyendas y elaborar un compendio

El propósito de este proyecto es que escribas una leyenda, que identifiques sus características, así como algunos recursos literarios que se emplean al contarlas o escribirlas.

La tradición oral de nuestro pueblo es tan vasta que varias de las narraciones se han olvidado con el paso del tiempo, por esta razón se hacen importantes esfuerzos para preservarlas a través de la escritura.

Para que contribuyas a la conservación de estas maravillosas narraciones, reunirás en un compendio algunas de las leyendas que se cuentan entre las personas de tu comunidad. ¡A escuchar y a escribir se ha dicho!

Para este proyecto necesitarás:

- libros sobre mitos y leyendas
- pliegos de papel
- hojas blancas
- materiales para encuadernar o engargolar
- reproductor de sonido (opcional)

Lo que conozco

¿Conoces la leyenda de La Llorona?, ¿te han contado la de El Callejón del Beso?, ¿y la de la Barranca del Diablo?, ¿cuáles se cuentan en tu comunidad? Comenta con tu profesor y compañeros qué sientes cuando te cuentan alguna leyenda: ¿miedo, emoción, curiosidad? Escribe en tu cuaderno lo que piensas que es una leyenda.

Un dato interesante

México, por su historia milenaria, cuenta con gran número de leyendas. La mayoría ubica los acontecimientos en las épocas prehispánica y colonial.

De leyenda

Por generaciones, las personas han narrado historias extraordinarias y fantásticas que sirven para explicar fenómenos de la naturaleza y sucesos históricos, entre otras cosas. Los cuentos, mitos y leyendas son narraciones importantes porque constituyen parte de nuestra cultura e identidad como mexicanos.

A buscar

Acude a las personas mayores de tu comunidad y pregúntales si saben alguna leyenda como La calle del Indio Triste, La Quemada, o cualquier otra. Pídeles que te la cuenten y te digan quién se las contó y si saben cuándo ocurrieron los hechos y el lugar en el que sucedieron.

Recuerda tomar nota de las respuestas que te den para que recuerdes los detalles de las leyendas que te cuenten. Después te servirán para escribirla con precisión. Si tienes la posibilidad, graba tus entrevistas.

Comparte con tus compañeros las leyendas que te contaron. Platícales también todos los detalles que te dieron tus entrevistados.

Escribo la tradición oral

Escribe en tu cuaderno una de las leyendas que te contaron. Pon especial atención en elegir una diferente de las de tus compañeros. Asegúrate de que se entienda lo que escribiste y recuerda revisar la ortografía; al final puedes utilizar ilustraciones. Guárdala porque la emplearás más adelante.

Las leyendas del México antiguo

Te presentamos dos narraciones para que conozcas historias de hombres, mujeres, lugares, objetos o acontecimientos, que se convirtieron en leyenda.

Lean en voz alta los siguientes textos:

La Mulata de Córdoba

Cuenta la leyenda que hace más de dos centurias y en la poética ciudad de Córdoba, vivió una célebre mujer, una joven que nunca envejecía y a quien todos llamaban *la Mulata.*

En el sentir de la mayoría, la Mulata era una bruja, una hechicera que habían visto volar por los tejados de las casas. Decían que había hecho pacto con el Diablo, quien la visitaba todas las noches para darle poderes sobrenaturales.

Se decía que en todas partes estaba, en distintos puntos y a la misma hora; y llegó a saberse que en un mismo día se le vio a un tiempo en Córdoba y en México. La fama de aquella mujer era grande, inmensa. Por todas partes se hablaba de ella y en diferentes lugares de Nueva España su nombre era repetido de boca en boca.

Se asegura que un día, en la ciudad de México se supo que desde la villa de Córdoba había sido traída a las sombrías cárceles de la Inquisición. Su aprehensión fue el tema favorito de muchas conversaciones.

Hubo quien aseguraba que la Mulata no era hechicera ni bruja ni cosa parecida, que la habían encarcelado para quitarle su inmensa fortuna, consistente en diez grandes barriles de barro, llenos de polvo de oro. Otro aseguró que además de esto, se hallaba de por medio un amante desairado, que ciego de despecho denunció en Córdoba a la Mulata porque ésta no había correspondido a sus amores.

Pasaron los años, hasta que se supo de nuevo que la hechicera sería quemada en el próximo Auto de fe organizado por la Inquisición. El asombro creció de punto cuando, pasados algunos días, se dijo que la Mulata había volado hasta Manila, burlando la vigilancia de sus carceleros… más bien dicho, saliéndose delante de uno de ellos.

¿Cómo había sucedido esto? ¿Qué poder tenía aquella mujer, para dejar así con un palmo de narices, a los muy respetables señores inquisidores? Todos lo ignoraban. Se dijeron por toda la ciudad las más extrañas y absurdas explicaciones, desde que todo había sido obra del demonio, hasta que uno de los inquisidores se había enamorado de ella y, así, la dejó escapar.

He aquí la verdad de los hechos. Una vez, el carcelero penetró en el inmundo calabozo de la hechicera, y quedóse verdaderamente maravillado de contemplar en una de las paredes, un navío dibujado con carbón por la Mulata, quien le preguntó con tono irónico:

—¿Qué le falta a ese navío?

—¡A ese barco —contestó el interrogado— únicamente le falta que ande! ¡Es perfecto!

—Pues si vuestra merced lo quiere, si en ello se empeña, andará, andará y muy lejos…

—¡Cómo! ¿A ver?

—Así —dijo la Mulata. Y ligera saltó al navío, y éste, lento al principio, y después rápido y a toda vela, desapareció con la hermosa mujer por uno de los rincones del calabozo.

El carcelero, mudo, inmóvil, con los ojos salidos de sus órbitas, con el cabello de puntas, y con la boca abierta, vio aquello sorprendido.

González Obregón, Luis, "La Mulata de Córdoba" (adaptación) en *México viejo*. México, Promexa, 1979.

Contesta las siguientes preguntas.

- ¿Por qué se hablaba de la Mulata por todas partes?
- ¿Qué diferentes explicaciones se dieron de su encarcelamiento?
- ¿Por qué el carcelero contestó que al barco únicamente le faltaba andar?

La Llorona

La sola mención de La Llorona causa calosfrío a los niños y a las muchachas de cierta edad, y hace santiguar a las viejas. La Llorona es en todas partes una mujer que se aparece después de muerta, a ciertas horas de la noche; recorre los barrios más apartados de todos los pueblos, dando lastimosos alaridos; llega a las tapias de los cementerios y allí se convierte en humo, según la opinión general, sin que nadie pueda asegurarlo bajo su palabra, porque al oír los alaridos, se cierran las puertas, ventanas y mirillas como por encanto, y no hay quien ceda a la tentación de investigar lo que pasa en la calle.

La Llorona escoge por lo común las noches de Luna para sus excursiones, y se aparece vestida de blanco y con el cabello suelto. La Llorona es a veces una joven enamorada, que murió en vísperas de casarse, y trae al novio la corona de rosas blancas que no llegó a ceñirse bajo el velo nupcial; es a veces la viuda que sucumbió entre los horrores de la miseria y viene a llorar la suerte de sus infelices huerfanitos; es la esposa muerta en ausencia del marido a quien trae el beso de despedida que no pudo darle en su agonía.

No han faltado en algunos pueblos quienes, intrépidamente, quieran desengañarse de la Llorona. Le esperaron en el escampado que hay a orillas de la población y cerca del bosque, en cuyos laberintos suele internarse. Eran ya las altas horas de la noche; la luna brillaba cercana al occidente, las hojas de los árboles no se movían. Después, interrumpieron el silencio los aullidos lejanos de los perros; cesó en seguida todo rumor; se hizo oír más tarde un gemido a corta distancia; se les erizó el cabello a los jóvenes y alistaron palos y espadas como si éstos pudieran defenderlos del espíritu.

La mujer, con su ropa blanca como la nieve, suelto el negro cabello, se adelantó con paso firme. El más valiente de los que la esperaban quiso asirla de un brazo, pero halló que era impalpable. Los demás, un tanto acobardados, quisieron herirla pero la muerta dio un segundo gemido. Le vieron el rostro: era bella y derramaba, una tras otra, gruesas lágrimas. Entonces se apartaron dejándole libre el paso.

Los jóvenes quedaron aterrados. La Llorona se internó en el bosque; ellos, a toda prisa, regresaron a sus casas.

Roa Bárcena, José María, "La Llorona" (adaptación)
en *Obras*, VI. México, Imprenta de Victoriano Agüeros, 1910.

Contesta las siguientes preguntas.

- ¿Por qué escuchar el nombre de La Llorona provoca escalofrío?
- ¿Por qué crees que se cierran las puertas y ventanas como por encanto?
- ¿Por qué se aparece La Llorona gimiendo y llorando?

○○○ Consulta en...

Busca en los libros de la biblioteca escolar algunos libros que contengan leyendas. Te damos algunos ejemplos: *Tesoros del campo de Milpa Alta; Cuentos del sol, la luna y las estrellas: mitos, leyendas y tradiciones de todas las culturas; El libro de los cuentos del mundo: historias y leyendas mágicas que se cuentan todas las noches.*

Realidad y fantasía en las leyendas

Comenta, en grupo, si crees que los hechos narrados en las diferentes leyendas sucedieron o no y por qué lo crees así.

Junto con tu maestro, identifica elementos reales y fantásticos en cada una de las leyendas. ¿Cómo podemos diferenciar lo real de lo imaginario y fantástico; esto es, lo posible de lo no posible? Comenta con tu grupo.

Lee en voz alta leyendas de otras culturas, puedes conseguir libros de leyendas en otras bibliotecas o en tu casa.

Elabora en tu cuaderno un cuadro para organizar la información de las leyendas que hasta ahora conoces. Puedes agregar las filas que necesites.

Título de la leyenda	Elementos reales	Elementos fantásticos
La Mulata de Córdoba		Su cuerpo se elevó hacia el cielo.
La Llorona	Las mujeres que lloraban por la muerte de sus hijos en la época de la Conquista.	

Como ya te percataste, las leyendas se basan en personas o hechos reales transformados por elementos fantásticos, maravillosos, imaginativos, sobrenaturales o fantasmagóricos.

Otra variante de la misma leyenda

Con el transcurso del tiempo y al pasar de boca en boca y de generación en generación, la narración original de las leyendas se va modificando de acuerdo con las costumbres, la historia, las creencias y las necesidades de la gente. Comenta con tu grupo si conoces una variante de alguna leyenda de las que hayan contado tus compañeros.

Lee esta otra variante de La Llorona, escrita en forma de soneto:

La Llorona

Pálido de terror contar oía
cuando era niño yo, niño inocente,
que dio la muerte un hombre delincuente
en mi pueblo a su esposa Rosalía.

Y desde entonces en la noche umbría
oye temblando la asustada gente
tristes quejidos de mujer doliente,
quejidos como daba en su agonía.

Por algún rato en su lamento cesa,
mas luego se desata en largo llanto,
y sola por las calles atraviesa.

A todos llena de mortal espanto
y junto al río en la niebla espesa
se va llorando, envuelta con su manto.

Carpio, Manuel, *Poesías*. México, Imprenta de
Andrade y Escalante, 1860, pág. 235.

Un dato interesante

Una de las versiones de "La Llorona" tiene sus raíces en la cultura mexica y se ha extendido por toda Latinoamérica con otros nombres y detalles. Para los mexicas, La Llorona era una representación de la diosa Cihuacóatl que vagaba por el Lago de Texcoco llorando por sus hijos, a quienes les esperaba un destino funesto por la venida de los conquistadores.

Las leyendas narradas en forma oral o escrita utilizan recursos para lograr un ambiente de misterio y suspenso entre los lectores o escuchas. Por medio de la descripción detallada de objetos, personas o circunstancias, la narración nos "hace ver" las imágenes que nos cuenta. Se usan reiteraciones de palabras, frases o ideas, se hacen comparaciones y se califican las acciones y los objetos para enriquecer el texto. Por ejemplo:

"La Mulata no era hechicera, ni bruja ni cosa parecida".

"La fama de aquella mujer era grande, inmensa".

"¿Qué poder tenía aquella mujer para dejar *con un palmo de narices* a los inquisidores?"

"Si en ello se empeña, andará, andará y muy lejos".

"El carcelero, mudo, inmóvil, con los ojos salidos de sus órbitas, con el cabello de puntas y con la boca abierta, vio aquello sorprendido".

"La mujer, con su ropa blanca como la nieve, suelto el negro cabello, se adelantó con paso firme".

A continuación vas a trabajar con uno de estos recursos para que puedas utilizarlo al redactar una leyenda.

Uso de frases adjetivas para la descripción

Si puedes, localiza "El último viaje de Faetón" que se encuentra en el libro *Cuentos del sol, la luna y las estrellas: mitos, leyendas y tradiciones de todas las culturas* de la Biblioteca Escolar, págs. 40-42.

Identifica en la lectura las siguientes frases y copia el enunciado completo en tu cuaderno.

- "...estas fanfarronadas eran demasiado exageradas".
- "Era radiantemente hermoso..."
- "...unos ojos tan azules como el cielo".
- "...alguien más ligero y menos fuerte..."

Si no localizas este libro, elige otro de leyendas. Con tus compañeros y profesor busquen frases que enfaticen las características de los personajes, los objetos o hechos que se narran. ¿Para qué se utilizan estas frases en una narración?

Subraya con un color los adjetivos calificativos que encuentres en las frases o enunciados que escribiste. Si no recuerdas cuáles son, consulta tu Fichero del saber, o en su caso, elabora la ficha correspondiente. Comenta con tu grupo para qué se escriben adjetivos calificativos en las narraciones.

Observa que estos adjetivos están acompañados de otras palabras (adverbios): *demasiado, radiantemente, tan, más, menos* y *muy*. Subráyalas de otro color. Comenta en grupo: ¿por qué estarán los adjetivos acompañados de estas palabras?

En tu cuaderno, trata de agregar algunas frases adjetivas a los siguientes enunciados.

- La Mulata de Córdoba escapó a bordo de un barco.
- Los gritos y llantos de la Llorona estremecen a todos.

Fichero del saber

Las frases que forman las palabras que subrayaste (adverbios y adjetivos calificativos) se llaman **frases adjetivas.** ¿Podrías elaborar la ficha correspondiente? Toma en cuenta que estas frases nos ayudan a describir o caracterizar los objetos, personas o sucesos de los que hablamos. Puedes investigar más.

Fichero del saber

Realiza una ficha que contenga un concepto de leyenda y sus características. Lee en voz alta la ficha y escucha los comentarios y sugerencias que hagan tus compañeros para que la mejores. Compara la información de esta ficha con el primer concepto de leyenda que escribiste al inicio del proyecto. ¿Qué diferencias encuentras?

Un dato interesante

Una leyenda puede no sólo crearse alrededor de una persona, sino también de lugares que adquieren cierto misterio por lo que ahí aconteció, como la de El callejón del beso, la de El puente del diablo, la de El tesoro de la cueva del manzano, la de El callejón de la condesa o la de La calle de la machincuepa.

Observa el ejemplo:

- La Llorona se internó en el bosque.
- La *tan misteriosa y temida* Llorona, se internó en el *increíblemente gélido* bosque.

Lee en voz alta las dos versiones de cada enunciado. Comenta con tus compañeros cuál utilizarías en caso de que quisieras narrar o escribir una leyenda, y por qué.

Localiza otras frases adjetivas en las leyendas que has leído. Escríbelas en tu cuaderno.

Características de las leyendas

Piensa en las leyendas con las que has trabajado y las que te contaron, y comenta con tus compañeros si las narraciones:

- tienen elementos de realidad, fantásticos o maravillosos, fantasmagóricos, posibles y no posibles.
- ubican los sucesos en algún lugar real y específico (ciudad, pueblo, calle, casa, camino).
- ubican en un tiempo concreto y definido los acontecimientos (antes de la llegada de los españoles, durante la Colonia, en el siglo XIX, en la actualidad).
- además de encontrarlas por escrito, se cuentan oralmente.
- tienen diferentes versiones dependiendo de quién las cuente.

En grupo anoten noten las características de las leyendas en un pliego de papel y péguenlo donde esté a la vista. Fíjate muy bien, ya has trabajado con algunas de ellas. Con ayuda de tu maestro investiga en otras fuentes.

Retoma la leyenda que escribiste al inicio del proyecto, léela nuevamente y comprueba si tiene las características que anotaste en el pliego de papel. Revisa también si tu narración incluye frases adjetivas. ¿Qué puedes modificar?

Anota en tu cuaderno tus observaciones, las utilizarás más adelante.

Párrafos y puntos

Otro elemento que deberás tomar en cuenta antes de escribir tu leyenda es el uso de los párrafos y los puntos al final de los mismos. Hacerlo te permitirá ordenar, con claridad, las ideas del texto.

Busca algún libro de leyendas en la biblioteca de tu salón. Lee alguna. Contesta y realiza las siguientes actividades.

- ¿Cuántos párrafos tiene?, ¿cómo distingues un párrafo de otro?
- ¿Qué se narra en cada uno?
- ¿Qué función tienen los puntos al final de cada párrafo?

Escribe en tu cuaderno la narración y organiza la información en párrafos. Recuerda que en un párrafo se desarrolla una idea principal (oración tópica) acompañada con algunas ideas secundarias (oraciones de apoyo).

Planifica y escribe la primera versión de tu texto

Retoma las observaciones a la leyenda que escribiste al principio del proyecto. Éstas te servirán de guía para reescribirla; para esto, te sugerimos que hagas un organizador de ideas como el siguiente.

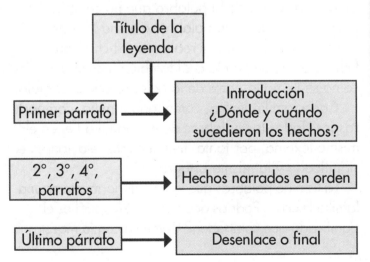

¡A jugar con las palabras!

¿Sabes qué son los abecegramas? Son frases cuya primera palabra comienza con **a**, la segunda con **b**, la tercera con **c**, y así sucesivamente siguiendo el orden del abecedario hasta terminar con una palabra que comience con **z**. Te retamos a que inventes una frase adjetiva o una pequeña leyenda que al mismo tiempo sea un abecegrama. Si te resulta muy difícil, puedes intercalar algunos artículos o conjunciones, aunque no sigan el orden alfabético; también puedes incluir comas, puntos y signos de interrogación o admiración para que se entienda mejor lo que escribes. No puedes escribir palabras que repitan la inicial de la palabra anterior. Te damos como ejemplo el inicio de un abecegrama, puedes continuarlo o iniciar otro. ¡A trabajar con creatividad!

Anastasio bajó corriendo, chirrió dientes, escuchó fuerte grito. Hizo interminable jaleo. Kilométricos lamentos, llantos, manto níveo…

Mi diccionario

En las leyendas que leíste, seguramente habrás encontrado muchas palabras de uso particular de la región en la que se originó la narración, inclúyelas en tu diccionario.

También es importante que decidas en qué partes de la narración es necesario incluir descripciones y frases adjetivas para hacer énfasis en las características de los personajes o circunstancias. Marca sobre tu primer texto el lugar donde las incluirás.

Ejemplo:

- La Llorona aparecía al anochecer.
- La terrible y funesta Llorona aparecía entre hórridos gemidos al anochecer entre la bruma del Lago de Texcoco.

Escribe la nueva versión de la leyenda, toma en cuenta tus observaciones y recuerda poner atención en la ortografía y en la puntuación.

La ortografía de palabras de una misma familia léxica

Una manera sencilla de saber cómo se escribe una palabra es relacionarla con su familia léxica. De esta manera verás que además de relacionarse por su significado, también tienen en común la misma ortografía. Fíjate bien, ¡es muy fácil!

Lee con atención la siguiente lista de vocablos y comenta con tu maestro y compañeros qué tienen en común: lloradero, llorar, llorido, lloriquear, llorona, lloroso, llorica, llorón.

¿Te diste cuenta? En todas se escribe *llor,* que es la única parte de la palabra que no cambia. La parte invariable de la palabra se llama *lexema.* Investiga un poco más y realiza una ficha para el fichero del saber, en la cual también menciones cómo se llama la parte de la palabra que sí cambia.

Cada familia léxica, como toda familia, comparte rasgos. Todas las palabras de una familia tienen el mismo lexema, por tanto, tienen cierta relación en el significado y la misma ortografía.

La lista de palabras que leíste anteriormente es una familia léxica. ¿Podrías decir por qué?, ¿cuál es el significado que comparten? Comenta con tu maestro.

Las palabras pueden tener antes del lexema una expresión que se denomina prefijo y seguir perteneciendo a una familia léxica como *subterráneo, entierro, desterrar, aterrizar*, y conservar la misma ortografía puesto que siguen teniendo relación con el mismo significado.

¿Cuál de las siguientes palabras no pertenece a la misma familia léxica? *Tierra, entierro, enterramiento, subterráneo, aterrorizar, desterrar, aterrizar, terreno, terremoto, territorio.*

En ocasiones, hay palabras que tienen el mismo lexema que otras, pero no comparten el mismo significado y por eso no pertenecen a la misma familia léxica. En el caso anterior la palabra que no pertenece es *aterrorizar*. ¿Podrías decir por qué?

Escribe la segunda versión de tu leyenda

Organízate en parejas y realiza lo siguiente:

■ Intercambia la leyenda que escribiste a partir del organizador de ideas, lee la de tu compañero y observa con atención si los personajes, los sucesos y los lugares están descritos suficientemente, y si su texto cumple con las características de las leyendas.

■ Verifica si en la leyenda aparecen hechos reales y fantásticos (posibles y no posibles) y que ambos estén ubicados en un tiempo y lugar específicos.

■ Observa si tu compañero redactó claramente las ideas de la narración y utilizó correctamente los puntos, así como el uso de las mayúsculas en los diferentes párrafos.

■ No olvides revisar la ortografía.

■ En una hoja aparte, escribe tus comentarios y sugerencias para que el autor de la leyenda mejore su texto.

○○○ **Consulta en...**

En el buscador del siguiente sitio, teclea "campos semánticos" y haz clic en "La llamada de la selva".

http://www.isftic.mepsyd.es
Busca leyendas y más en:
http://contenidos.educarex.es

¡A jugar con las palabras!

Busca la palabra *intrusa*. Para esto, organízate por equipos y haz lo siguiente:
En una hoja blanca distribuyan siete palabras de una misma familia léxica. Incluyan dos palabras que tengan lexemas parecidos pero que no tengan relación con el mismo significado, por ejemplo: *pan, panteón, panadería, panadero, panecito, pánico.*

● Cuando tengas lista tu hoja, intercámbiala con la de otro compañero para ver quién descubre primero las palabras intrusas.

● Una vez descubiertas, hay que explicar la razón por la cual dichas palabras no deben aparecer en esa lista.

Producto final

A partir de tus anotaciones y las observaciones que te hicieron tus compañeros, modifica tu texto. Escribe la versión final de tu leyenda. Agrega ilustraciones.

Verifica que la versión final de tu texto cumpla con las características de las leyendas, que se comprenda la narración y que hayas empleado correctamente los signos de puntuación y las mayúsculas.

En equipos, sigue las instrucciones de tu maestro para elaborar un compendio de leyendas.

- Revisen qué estructura debe tener un libro que reúna diferentes textos literarios. ¿Qué partes tiene el libro?
- Analicen cada una de las partes (portada, introducción, índice, textos literarios). ¿Qué formato tienen y qué información presentan?

- Cada equipo elabore una parte del compendio de leyendas.
- Organicen, entre todo el grupo, las partes que integrarán el compendio, siguiendo el modelo del libro revisado.
- Encuadernen el compendio e intégrenlo a la biblioteca de tu salón.
- Inviten a sus compañeros de otros grupos, a sus papás y a las personas que les contaron las leyendas, a leer su compendio.

Logros del proyecto

Comenta con tus compañeros los siguientes aspectos:

- ¿Cómo organizaste la información que te contaron para expresarla por escrito?
- ¿En qué forma mejoró tu leyenda cuando le agregaste frases adjetivas?
- ¿Te sirvieron los organizadores antes de iniciar tu escritura?

Explica a tus compañeros tu respuesta.

Autoevaluación

Es tiempo de revisar lo que has aprendido después de trabajar en este proyecto. Lee cada enunciado y marca con una palomita (✓) la opción con la cual te identificas.

	Lo hago muy bien	Lo hago a veces y puedo mejorar	Necesito ayuda para hacerlo
Identifico en las leyendas los elementos de realidad y fantasía.			
Describo personajes o sucesos usando las frases adjetivas.			
Reconozco la importancia de escribir varias versiones de mis textos			

Marca con una palomita (✓) la opción que diga la manera como realizaste tu trabajo:

	Siempre	A veces	Me falta hacerlo
Tomo en cuenta las sugerencias de los demás para mejorar mis textos.			
Me expreso oralmente y por escrito de manera clara.			

Me propongo mejorar en: _____

_____

PROYECTO: Realizar un boletín informativo radiofónico

El propósito de este proyecto es que conozcas las características de una noticia para que redactes un guión radiofónico. Después presentarás un boletín informativo a tu comunidad escolar.

Para este proyecto necesitarás:

- periódicos

Lo que conozco

La radio ha sido un medio de comunicación muy importante durante más de cien años. A través de ella se transmite música e información variada que se presenta en programas en horarios diferentes.

En muchas estaciones se transmiten boletines breves con las noticias más importantes del día y también las de última hora.

Comenta con tus compañeros: ¿qué estaciones de radio escuchas?, ¿qué programación transmiten?, ¿emiten boletines radiofónicos, con qué frecuencia?, ¿conoces los elementos que componen estos boletines?

¡Extra, extra!

Algunas escuelas primarias tienen periódico escolar. Te presentamos éste, llamado *El Pregonero*, con noticias de interés para alumnos y maestros. Léelo en voz alta.

EL PREGONERO

Boletín semanal de la escuela   7 de noviembre de 2010

Llorona visita nuestra *Ofrenda*

El pasado viernes, una mujer toda vestida de negro y que fue identificada por el conserje como "La Llorona" entró a la escuela primaria "Garibay" mientras don Rigo, que barría la entrada, no pudo detenerla ni siquiera para preguntarle a dónde iba.

Como atraída por la ofrenda que los alumnos de la escuela colocaron junto a las escaleras, siguiendo un camino de flores de cempoaxóchitl, la mujer avanzó con paso decidido, lanzándose directamente a donde estaban unas cazuelas con tejocotes y calabazas en dulce.

Varios niños de primer año dejaron de jugar en el patio y siguieron de lejos a "La Llorona". La mujer, cuya edad y rasgos fisonómicos nadie pudo determinar, comenzó a buscar entre los niños que se acercaban (algunos testigos afirman que murmuraba algo de unos hijos) y se acercó a dos niñas que llevaban una cazuela de mole negro. Ellas, creyendo que era una maestra que este año se había disfrazado de Llorona, le entregaron la cazuela y fueron por más cosas para montar la ofrenda.

Causa espanto

"La Llorona" salió de la escuela con las cazuelas, dejando a dos o tres niños mudos del espanto. Pronto, el rumor de la presencia de la legendaria mujer cundió por toda la escuela, pero cuando bajaron maestros y alumnos sólo encontraron a don Rigo que, escoba en mano, sólo acertaba a señalar hacia la calle por donde se fue "La Llorona".

Los alumnos de quinto y sexto acomodaron de nuevo el camino de flores, pusieron más cazuelas de comida en donde quedaron los faltantes y alguien, no se sabe de dónde, consiguió un dibujo de "La Llorona", a quien dedicaron entonces la ofrenda pues, en opinión de muchos, su aparición fue una forma de pedir que se acordaran de ella.

Hubo también quien afirmó que sólo se trató de una vagabunda conocida en el barrio, que siempre viste de negro.

Torneo de Basquetbol.   Alumna de nuestra escuela   Noticias   1
Entérate qué grupos llegarán a la final.   P. 5   gana certamen "Benito Juárez".   P. 3   Certámenes   5
     Entrevista   6
     Qué leer   8

Un dato interesante

Julio César (emperador romano) publicó lo que se considera el primer periódico de la historia, se titulaba *El Acta Diurna*, salió a luz pública en el año 59 a. C., y en él se informaba, de forma periódica, de los actos oficiales del gobierno para que fueran revisados por el público en general.

Fichero del saber

Comenta con tu grupo qué piensas que es una *nota informativa*. Busca en otras fuentes algunas definiciones. Escribe la definición de nota informativa en tu fichero. Pega en la parte de atrás de la ficha un ejemplo que encuentres en el periódico.

No olvides incluir la referencia completa del diario: nombre del reportero, título de la nota informativa, nombre del periódico, sección, fecha y página.

Noticias del periódico

Comenten en sus equipos: ¿qué tipo de notas informativas tiene *El Pregonero*?, ¿cada cuándo se publica?, ¿qué secciones tiene?, ¿por qué el titular de una noticia puede ocupar dos columnas?, ¿en qué fecha se publicó?, ¿qué tipo de noticias divulga?, ¿la nota informativa sobre la aparición de "La Llorona" responde a las preguntas: qué, quién, cómo, cuándo, dónde y por qué?, ¿el lenguaje es claro?, ¿en qué se parece este periódico a los que compras en el puesto de revistas?, ¿qué tipo de secciones tienen estos periódicos?, ¿qué tipo de noticias hay en cada una de esas secciones?

Trabajando con una noticia

Organízate con un compañero y realicen las siguientes actividades:

- Lleven al salón un periódico y léanlo. Seleccionen algunas noticias que consideren interesantes o importantes para su escuela o comunidad.
- Recorten las noticias con su título y fotografía, si es que la tiene. Péguenla en un pliego de papel y escriban por qué la eligieron y qué interés o impacto puede tener en su comunidad o escuela.
- Lean en voz alta la noticia y expongan ante su grupo lo que escribieron en un pliego de papel.

Las secciones del periódico

Trabaja con los periódicos que llevaron al salón. Reúnete con tu equipo y realiza las siguientes actividades:

- Lee el periódico y selecciona con tus compañeros cinco noticias de diferentes secciones. Anota en tu cuaderno la sección a la que pertenece cada noticia.

■ Recorta los títulos y las noticias por separado. Entrega a un equipo los textos y a otro equipo los títulos. Ambos equipos deberán decir a qué sección del periódico piensan que pertenece cada noticia.

Compara las respuestas de cada equipo con las anotaciones que hiciste para ver si acertaron o no. Reúne tus noticias con sus títulos. Clasifícalas pegándolas en cartulinas que proporcionará tu profesor con los nombres de cada sección del periódico.

Información que proporcionan las noticias

Selecciona otra noticia del periódico, léela y contesta en tu cuaderno:

■ ¿Qué suceso se narra?
■ ¿Qué ocurrió?
■ ¿Quién o quiénes participaron?
■ ¿Cómo sucedieron los hechos?
■ ¿Cuándo sucedieron?
■ ¿Dónde sucedieron?

Elige otra noticia, contesta de nuevo las preguntas y repite el ejercicio anterior. ¿Encontraste en los dos textos la información que responde a todas las preguntas? ¿Alguien encontró una noticia que no proporcionara esa información?

Como pudiste darte cuenta, una noticia debe contener información que exponga *qué pasó, cómo pasó, cuándo y dónde sucedieron los hechos, y quiénes* estuvieron involucrados en ellos.

Con base en la información con que respondiste las preguntas anteriores, resume la noticia en tu cuaderno.

○○○ **Consulta en...**

Para practicar cómo resumir, haz las actividades "Para decirlo de una vez" (págs. 68-69) y "La historia continuará" (págs. 81-83) que se encuentran en *El nuevo escriturón* de la Biblioteca Escolar.

El guión de radio

Un guión de radio es la planificación por escrito de lo que se dirá durante un programa: el contenido, quién lo dirá y el orden en que lo hará, los cortes en los que se introducirá la música, los comerciales o las entrevistas, también se indica el tiempo que durará cada sección. Lee el siguiente guión de radio.

Guión de radio

Programa: Instantes noticiosos
con: José Luis Ruiz
Fecha de emisión: 5 de diciembre de 2010

Operador	Audio
Fade in Entra música de introducción: 10 segundos. **Baja música a fondo musical.**	VOZ: *Instantes noticiosos*, con José Luis Ruiz.
	LOC: Bienvenidos a *Instantes noticiosos*. En Cuernavaca, ciudad capital de Morelos, son las 8:15 horas. Los saluda, esta tarde del 5 de diciembre, su servidor: José Luis Ruiz. Éste es el resumen de las noticias más importantes del día de hoy.
Entra cortinilla: 5 segundos.	VOZ: Noticias de la ciudad. LOC: Nuestra corresponsal Jessica Espinosa, nos platica sobre lo que sucede en las calles. Buenos días, Jessica, ¿hay alarma en nuestra ciudad? LOC 2: Así es, Pepe, buenos días. Las autoridades de nuestra ciudad dieron a conocer la necesidad de hacer recortes en el suministro de agua, por lo que han invitado a los habitantes a no desperdiciarla.
Entra cortinilla: 5 segundos.	VOZ: Deportes. LOC 1: En el ámbito deportivo, nuestro país se viste de gala porque dos jóvenes han hecho un gran papel al ganar la medalla de oro en clavados sincronizados en los Juegos Panamericanos. Ellos son los hermanos Óscar y Manuel Cortés Esparza.
Entra cortinilla: 5 segundos.	VOZ: Las noticias internacionales. LOC1: Desde Suecia, nuestra corresponsal Daniela Flores. LOC 3: Todos los países tienen los ojos puestos en la Cumbre de presidentes, que inicia hoy en la ciudad de Estocolmo con el fin de llegar a acuerdos mundiales que frenen la contaminación en nuestro planeta.
Entra cortinilla: 5 segundos.	LOC 1: Muchas gracias, Daniela. Éstas fueron las noticias más importantes, nos despedimos agradeciéndoles su atención y los esperamos en la siguiente emisión de este boletín informativo. Hasta entonces.
Entra música de salida. **Sube música de salida:** 8. *Fade out*	

Ahora les toca a ustedes elaborar el guión radiofónico de un boletín informativo como el que acaban de leer.

Entre todo el grupo seleccionen aquellas noticias que pueden ser de interés para su comunidad.

¿En qué sección de su boletín colocarían cada noticia? Ahora elaboren un resumen de cada una de las noticias, para incluirlos en el guión radiofónico. Recuerden que deben ser breves, pero, al mismo tiempo, deben presentar la información completa.

También pueden presentar entrevistas o música entre cada nota informativa o inventar algún anuncio como los que hicieron en el Bloque I. No olviden incluir todos los elementos necesarios para que, cuando lo lean, lo hagan con facilidad y claridad.

○○○ Consulta en...

Encontrarás otro ejemplo de guión radiofónico en www.enredate.org/contenidos/documentos/guion03.pdf

Fichero del saber

Ahora que elaboraste el guión del boletín radiofónico, piensa en todos los elementos que lo integran. Elabora la ficha correspondiente.
¿Cómo se indica quién habla?, ¿cómo deben ser los parlamentos de un programa que sólo se escucha y no se ve?

Un dato interesante

Los programas de radio suelen entrar y salir con música que da personalidad al programa. Al comienzo entra la canción, cuyo volumen va disminuyendo para que entre la voz del locutor. A ese efecto se le conoce como *fade in*.
La *cortinilla* es otro efecto de sonido que separa las distintas notas informativas.

Producto final

Escriban el borrador de su guión, pueden basarse en el que les presentamos en la página anterior. Revisen la ortografía. Asegúrense de emplear adecuadamente la puntuación y en caso de que tengan duda respecto de cómo se escribe una palabra, recurran a su familia léxica.

Después, ensayen varias veces el guión, antes de presentar el boletín a los demás equipos.

Por último, presenten el boletín a sus compañeros, puede ser "en vivo" o, si te es posible, grábenlo y preséntenlo después.

Logros del proyecto

Reúnete con tus compañeros para escuchar los guiones de cada equipo. Comenta, al final, los aciertos y carencias que hayas encontrado. Es importante que consideres aspectos como la estructura del guión, las secciones incluidas, la claridad de las noticias, la voz de los locutores, el ingenio que utilizaron, los efectos especiales y el impacto que tuvieron en el auditorio.

- ¿Te gustó hacer un guión a partir del boletín?
- ¿Sobre qué otros temas podrías elaborar un guión?

Autoevaluación

Es tiempo de revisar lo que has aprendido después de trabajar en este proyecto. Lee cada enunciado y marca con una palomita (✓) la opción con la cual te identificas.

	Lo hago muy bien	Lo hago a veces y puedo mejorar	Necesito ayuda para hacerlo
Reconozco las noticias relevantes del periódico.			
Identifico cómo se elabora un guión radiofónico.			
Utilizo marcadores gráficos para hacer comentarios.			
Corrijo la escritura de las palabras.			

Marca con una palomita (✓) la opción que diga la manera como realizaste tu trabajo:

	Siempre	A veces	Me falta hacerlo
Participo en el trabajo con mis compañeros.			
Soy responsable en mi trabajo.			

Me propongo mejorar en: _____

_____

Evaluación del bloque II

Es tiempo de que revises lo que has aprendido después de trabajar en este bloque. Lee cada enunciado y subraya la opción que consideres correcta.

1. En el texto:

Una de las causas por las que se presenta la anemia en la infancia es la insuficiencia de hierro en la dieta, por lo tanto, hay que cuidar que los niños consuman alimentos que contengan este mineral.

Las palabras clave son:

a) Causas, infancia, insuficiencia.
b) Causas, anemia, infancia, hierro.
c) Alimentos, mineral, infancia.
d) Mineral, anemia, infancia, dieta.

2. Elige el título adecuado para el siguiente párrafo.

La obesidad es una enfermedad compleja caracterizada por la acumulación excesiva de tejido graso en el cuerpo, aumento de peso y sus consecuencias. La obesidad es el resultado de un desequilibrio entre el consumo y el gasto de energía, aunque también está asociada a factores sociales, conductuales, culturales, fisiológicos, metabólicos y genéticos.

a) Lo que debe comer la población.
b) ¿Qué es la obesidad?
c) Factores del sobrepeso.
d) La nueva epidemia.

3. Algunos nexos son:

a) Por ejemplo, por lo tanto, cuando, entonces, porque, y, o.
b) Comer, cuidar, sanar.
c) Sanamente, adecuadamente, suficientemente.
d) Azul, grande, hermoso.

4. Las leyendas son:

a) Narraciones de hechos fantásticos, que se transmiten de generación en generación.
b) Narraciones que combinan elementos fantásticos y reales para explicar fenómenos naturales o sucesos históricos, se transmiten de generación en generación.
c) Narraciones de personajes ilustres o famosos que se transmiten de generación en generación.
d) Narraciones de fenómenos naturales o fenómenos históricos que se transmiten de generación en generación.

5. El signo de puntuación que se utiliza para separar cada párrafo de un texto es:

   a) Punto y seguido.
   b) Dos puntos.
   c) Punto y aparte.
   d) Punto y coma.

6. Las palabras de una misma familia léxica comparten:

   a) La relación con un mismo significado y la ortografía.
   b) La ortografía y el gramema.
   c) La relación entre el gramema y el significante.
   d) El significado y el gramema.

7. La información que proporciona una noticia es:

   a) Qué sucedió, cómo sucedió, cuándo sucedió, en dónde sucedió y quiénes participaron en los hechos.
   b) Título, personas y objetos.
   c) Planteamiento, nudo y desenlace.
   d) Secciones, notas informativas, editoriales.

8. Las noticias de un periódico están organizadas en secciones dependiendo de:

   a) El tema que abordan.
   b) La extensión de la información.
   c) La forma en que están redactadas.
   d) Las imágenes que presentan.

9. Los marcadores que aparecen en un guión radiofónico para indicar quién habla, cómo lo debe hacer y los efectos de sonido se llaman:

   a) Márgenes.
   b) Incisos.
   c) Señalamientos.
   d) Acotaciones.

10. Elabora en tu cuaderno un texto en el que expongas lo más importante de lo aprendido durante estos tres proyectos. Cuida tu redacción y ortografía.

BLOQUE III

PROYECTO:
Leer, resumir y escribir textos expositivos que impliquen clasificación

El propósito de este proyecto es que utilices tablas y cuadros sinópticos para clasificar y resumir la información, la cual emplearás para escribir un texto expositivo.

Para este proyecto necesitarás:

- textos expositivos
- gráficas, tablas y cuadros sinópticos
- libros de la biblioteca del salón

Lo que conozco

¿Cómo cuidas el medio que te rodea? ¿En tu casa separan la basura?¿De qué manera clasificas residuos? ¿Para qué sirve clasificar los residuos? Además de éstos, ¿sobre qué otros temas se pueden hacer clasificaciones? ¿Cuál es la utilidad de hacer tablas o cuadros sinópticos?

Lee este texto expositivo siguiendo las indicaciones de tu maestro.

Impacto humano
en el ambiente

Las poblaciones de las que formamos parte impactan en el ambiente a través de un variado conjunto de actividades productivas. Cada vez que compramos algún artículo (alimento, papel, tela o plástico, entre muchos otros) o usamos algún servicio (agua potable o electricidad) o visitamos alguna playa o centro turístico, generamos algún impacto en el entorno.

Residuos

La cantidad de residuos sólidos que se genera está directamente relacionada con nuestro estilo de vida. Esto quiere decir que mientras más productos utilicemos para nuestra subsistencia, arreglo personal o entretenimiento, más basura produciremos.

La basura sigue un largo camino después de que nos deshacemos de ella: se transporta, se concentra en sitios llamados *de transferencia* y se dispone finalmente en algún sitio.

En algunos hogares y en los camiones recolectores separan parte de la basura: el cartón, las latas y el vidrio, entre otros materiales, pueden ser reusados o reciclados, desafortunadamente el porcentaje de reciclaje es muy bajo.

Con el fin de tener un control sobre la basura y evitar daños potenciales a la salud y al ambiente, existen sitios donde almacenarla permanentemente: los rellenos de tierra controlados y los rellenos sanitarios. La disposición final en estos sitios permite que se reduzca nuestra exposición a los residuos evitando enfermedades y otras afectaciones al medio ambiente.

✓ Todos los residuos sólidos, que son biodegradables, son considerados *residuos orgánicos*, como cáscaras de frutas y verduras, sobrantes de comida, servilletas de papel, pasto, hojas, ramas, entre otros, deberán ir en un contenedor especial. Con la materia orgánica puede producirse composta, la cual sirve como abono natural de hortalizas y árboles o para enriquecer el suelo.

✓ Todos los residuos que son susceptibles de reciclaje o reutilización, que no necesiten de un manejo especial por ser tóxicos o peligrosos para la salud, son considerados residuos inorgánicos, algunos ejemplos son las latas de aluminio, los envases y botellas de plástico.

Manejo de residuos

La creciente generación de residuos y su manejo inadecuado ocasionan problemas de salud, una desagradable imagen de los campos y ciudades, así como la contaminación del suelo, el agua y el aire.

Esto se debe principalmente al aumento de la población y a las formas de producción y consumo basadas en una cultura de desperdicio.

La basura se crea al mezclar los residuos sólidos de todo tipo (orgánico e inorgánico). Todos podemos contribuir a reducir la cantidad de basura si practicamos las **3R**: reducir, reutilizar y reciclar.

✓ Reduce la cantidad de residuos que generas. Es mejor lavar que desechar: en fiestas y días de campo emplea utensilios lavables; para tus bebidas, en la escuela o el trabajo, utiliza contenedores que se puedan usar muchas veces. Emplea envases rellenables.

✓ Reutiliza al máximo todos los artículos o productos antes de deshacerte de ellos. Por ejemplo, usa las hojas de papel por ambos lados; transforma las latas en lapiceros, joyeros o macetas; utiliza las bolsas del supermercado para los residuos o futuras compras; usa los frascos de vidrio para guardar otras cosas; fabrica juguetes con cajas usadas. Desecha sólo lo que ya no se pueda volver a usar.

✓ Reciclar es más fácil si separas tus residuos (orgánicos e inorgánicos).

Aunque el manejo de los residuos es esencial, también debemos saber que el "mejor residuo" es el que no se produce, es decir, la mejor estrategia es evitar producir residuos intentando, en la medida de lo posible, consumir menos productos que puedan generar o contener residuos peligrosos para el medio ambiente.

Fuente: Secretaría del Medio Ambiente y Recursos Naturales, SEMARNAT, (adaptación).

Mi diccionario

Si en este proyecto has leído términos que no conoces o que no sabes lo que significan, como *biodegradable, residuos, composta, reciclaje*; busca su significado y escríbelo con tus propias palabras en tu diccionario para que lo recuerdes.

■ ¿Qué tipo de texto es el que acabas de leer?
■ ¿De qué trata?
■ ¿Qué tan importante es el tratamiento de este tema en el lugar donde vives?

A buscar

Reúnete en equipos para investigar sobre el tema del cuidado del ambiente, busquen información sobre la contaminación que produce la basura, la clasificación de residuos, incluyendo los peligrosos, y cómo podemos contribuir a reducir la cantidad de basura mediante las 3R: reducir, reutilizar y reciclar.

○○○ Consulta en...

Para saber más sobre el cuidado del ambiente busca en tu libro de *Ciencias Naturales*, en la biblioteca escolar puedes encontrar, *La basura y el reciclaje* Stephanie Turnbull. México, Océano/SEP, 2007; o algún libro que trate el tema. También puedes consultar los sitios electrónicos:

- http://www.semarnat.gob.mx/educacionambiental
- http://www.puma.unam.mx/UNAMBIENTE
- http://www.ine.gob.mx
- http://profepa.gob.mx

Clasifiquen los residuos

Reúnan la información encontrada y coméntenla. Identifiquen los residuos que pueden clasificar en orgánicos e inorgánicos y escríbanlos en una tabla como la siguiente:

Residuos	
Orgánicos	Inorgánicos

Comparen la información de la tabla con la de otros equipos y, si es necesario, completen la suya.

De paseo por la localidad

Realiza un recorrido para averiguar el tipo de residuos que se producen en el lugar donde vives. Comparte esa información con tus compañeros de equipo para que hagan una clasificación por categorías, por ejemplo, pueden organizar los datos en tres grupos:

- En la calle.
- En la escuela.
- En el hogar.

Si es necesario, pueden proponer otras categorías diferentes para su clasificación.

En equipo completen el siguiente cuadro sinóptico para organizar la información en categorías:

Un dato interesante

En el año 2005 los mexicanos produjimos cerca de 35 millones de toneladas de basura, es decir, casi 350 veces el peso del concreto empleado en la construcción del Estadio Azteca.

Tipos de residuos que se producen en la localidad

En la calle
- Orgánicos — Ramas y hojas secas
- Inorgánicos — Cajas

En la escuela
- Orgánicos — Restos de fruta
- Inorgánicos — Papel

En el hogar
- Orgánicos — Cáscaras de frutas y verduras
- Inorgánicos — Envolturas

- Orgánicos
- Inorgánicos

Acaban de elaborar un cuadro sinóptico, que es una de las formas de organizar la información de manera gráfica. En un cuadro sinóptico, los temas de un texto se pueden clasificar por grupos, por importancia, por semejanzas.

La llave ({) es el signo que permite organizar y relacionar los datos. Este esquema te muestra el orden de las ideas en un cuadro:

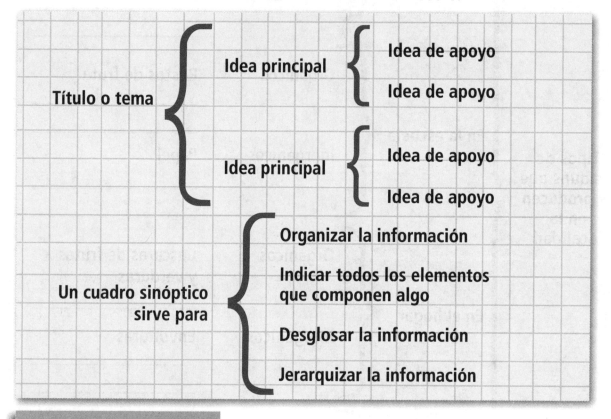

Título o tema

Idea principal
- Idea de apoyo
- Idea de apoyo

Idea principal
- Idea de apoyo
- Idea de apoyo

Un cuadro sinóptico sirve para
- Organizar la información
- Indicar todos los elementos que componen algo
- Desglosar la información
- Jerarquizar la información

Fichero del saber

Elabora una tarjeta que contenga la estructura y utilidad de un cuadro sinóptico.
¿Conoces otras formas de organizar la información, por ejemplo tablas o gráficas? Comparte con el resto del grupo tu respuesta y elabora un cuadro sinóptico que lleve como título: Formas de organizar la información.

Residuos y más residuos

Comenten en equipo sobre la información integrada en el cuadro sinóptico y respondan a las siguientes preguntas:

- ¿Qué información proporciona el cuadro sinóptico?
- ¿Qué tipo de residuos se producen?
- ¿Qué sucede con los residuos en la localidad?, ¿cuáles son las consecuencias?
- ¿Qué se puede hacer para atender esa situación?

Elaboren un texto que responda a los puntos anteriores, y que incluya las aportaciones de los integrantes del equipo. Escríbanlo en su cuaderno:

- Inicien con un párrafo introductorio en el que expliquen de qué tratará el texto.
- Redacten su texto basándose en el cuadro sinóptico que elaboraron. Describan los detalles que les hayan llamado la atención.
- Al final, anoten una conclusión, hagan un breve resumen de lo narrado en el texto y agreguen su opinión.
- Revisen que las ideas sean claras y completas, y que la puntuación y la ortografía del texto sean correctas.

Compartan con el grupo su reflexión: lean el texto, y opinen sobre la necesidad de participar con acciones responsables ante esta situación.

3R para aplicar

Los residuos se generan diariamente y es necesario buscar acciones para reducir la cantidad de basura que se produce. Esto nos invita a seguir de cerca la regla de las 3R: reducir, reutilizar y por último reciclar; a la que podríamos agregar una cuarta: reeducar.

Haz en tu cuaderno la clasificación de diversos residuos siguiendo la estrategia de las 3R, toma como ejemplo la siguiente tabla.

Reducir	Reutilizar	Reciclar

Un dato interesante

Los residuos inorgánicos necesitan de mucho tiempo para degradarse, por ejemplo:

- Las latas de refresco de aluminio tardan diez años, las bolsas de plástico de polietileno 150 años, las botellas de plástico (PET) entre cien y mil años, las pilas demoran más de mil años y algunos de sus componentes son altamente contaminantes y no se degradan.
- Los desechos orgánicos tardan cuatro semanas en degradarse, siempre y cuando no se mezclen con desechos inorgánicos o sustancias químicas.

Compara tus respuestas con las de tus compañeros y comenta en tu grupo qué criterio utilizaste para esa clasificación, argumenta tu respuesta.

La Secretaría de Medio Ambiente y Recursos Naturales (Semarnat), propone acciones para aplicar la regla de las 3R en la calle, en la escuela y en la casa, por ejemplo:

- Reduce la cantidad de residuos que generas.
- Reutiliza las bolsas que te dan al hacer compras.
- Reduce al mínimo el uso de productos desechables y elige envases retornables.
- Consume productos con empaques fabricados con materiales reciclables; con ello contribuyes a que se consuman menos recursos naturales.
- Desecha sólo lo que ya no se pueda volver a usar.

En equipo propongan acciones para aplicar la estrategia de las 3R en la calle, en la escuela y en la casa. Escríbanlas en su cuaderno y compartan las ideas con el grupo.

Todos podemos ayudar

Una acción importante puede ser un programa de clasificación de residuos para facilitar la estrategia de las 3R.

Empecemos por proponer la manera de separar nuestros residuos en la escuela, en los parques y en nuestras casas. También vamos a ser más cuidadosos con nuestra naturaleza. Mientras tanto podemos ir practicando. Aprendamos a clasificar los residuos en contenedores de diferentes colores.

Completa el siguiente cuadro anotando ejemplos de los tipos de residuos que se señalan en cada caso:

Fichero del saber

De la palabra *basura* se derivan otras palabras de la misma familia léxica. Utiliza una ficha para escribir algunas de ellas y su significado. De igual forma trabaja con la palabra *ambiente*. Compara con tus compañeros los grupos de palabras que encontraste.

Verde	Amarillo	Azul	Rojo
Residuos orgánicos	Papel y cartón	Reciclables	Peligrosos
Cáscara de plátano	Caja de zapatos	Botella de PET	Jeringas usadas
			baterías

Comenten en grupo la información vertida en la tabla y la posibilidad de aplicar esta estrategia en el tratamiento de los residuos.

Producto final

Es tiempo de que expongan sus ideas y propuestas para abordar el problema de los residuos y su manejo. Elaboren un texto expositivo, a partir de la información clasificada en las tablas y cuadros sinópticos. Redacten la información necesaria para abordar el tema, así como las ideas y propuestas para mejorar el ambiente. Escríbanlo tal y como aparecería en un libro de texto.

Una vez que esté completo su texto, revisen la ortografía y la puntuación. Léanlo, y si hay partes que no se entiendan, realicen las modificaciones necesarias.

Elaboren la versión final en hojas de rotafolios o en el material que les indique su maestro, utilicen dibujos o recortes para ilustrarlo; pueden incluir las tablas o cuadros para completar la información.

Presenten su trabajo en el grupo; pueden invitar a familiares, maestros y compañeros de otros grupos.

Expongan en el periódico mural del salón o de la escuela los trabajos. Además pongan en práctica las acciones propuestas para un mejor manejo de los residuos e inviten a toda la comunidad escolar a participar en esta causa.

Logros del proyecto

Comenta con tus compañeros las siguientes preguntas:

- ¿Qué consideraste para clasificar la información?
- ¿De qué forma te sirvieron los cuadros sinópticos y tablas que realizaste sobre el tema?
- ¿Por qué es útil resumir en un texto la información contenida en cuadros sinópticos o tablas?
- ¿A qué conclusión llegaste en relación con el manejo de los residuos?
- ¿Cómo puedes lograr que funcione la propuesta para el cuidado del ambiente?

Autoevaluación

Es tiempo de revisar lo que has aprendido después de trabajar en este proyecto. Lee cada enunciado y marca con una palomita (✓) la opción con la cual te identificas.

	Lo hago muy bien	Lo hago a veces y puedo mejorar	Necesito ayuda para hacerlo
Utilizo los textos expositivos para la búsqueda de información.			
Clasifico información a partir de textos expositivos.			
Organizo la información en tablas y cuadros.			
Redacto un texto a partir de la información contenida en tablas y cuadros.			

Marca con una palomita (✓) la opción que diga la manera como realizaste tu trabajo:

	Siempre	A veces	Me falta hacerlo
Participo activamente en mi grupo.			
Escucho con atención las propuestas de mis compañeros.			

Me propongo mejorar en: _____

_____

PROYECTO: Leer y escribir poemas

El propósito de este proyecto es que leas y escribas poemas a partir de reconocer sus recursos literarios y su organización.

A través de las actividades que aquí se proponen y de los poemas que escucharás, leerás y escribirás; reconocerás tus emociones y sentimientos, y lograrás expresarlos usando el lenguaje figurado. ¡Inspírate! Es momento de mostrar tus sentimientos y emociones.

Para este proyecto necesitarás:

- libros de poemas de la biblioteca de la escuela o del salón
- pliegos de papel
- madeja de estambre

Lo que conozco

Si alguna vez has leído poemas, comenta con tus compañeros de qué tema trataban y cuál es tu favorito. Explícales cómo reconoces un poema y qué opinas del lenguaje que utiliza. Declama algún poema o rima que te sepas para que la compartas con tus compañeros.

En los poemas se enaltece la belleza y la estética a través de las palabras. En la creación poética se expresan sentimientos, emociones e ideas en las que la imaginación vuela con largas alas.

Un dato interesante

México ha tenido una larga tradición poética; nuestros poetas han sido distinguidos con premios internacionales, por ejemplo, Octavio Paz obtuvo en 1990 el Premio Nobel por su obra literaria. En el libro *El fuego de cada día*, Paz hizo una selección de su obra poética. ¿Qué otros poetas conoces?

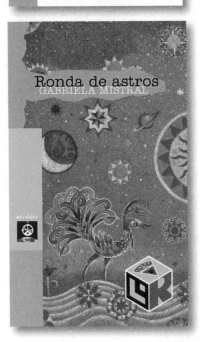

Lean en voz alta el siguiente texto, es un fragmento del prólogo que hizo Julio Trujillo para el libro de José Emilio Pacheco, *Gota de lluvia y otros poemas para niños y jóvenes.*

—— Prólogo ——

¿Qué es la poesía? Es una manera de ver y de sentir el mundo, como la música y la pintura. Así como una casa se hace con ladrillos, la poesía se hace con palabras, ése es su material de trabajo. Y las palabras son muy poderosas (es un secreto que todos los poetas saben). Por ejemplo: las palabras "por favor" abren muchísimas puertas, pero también las palabras "ábrete sésamo". Y si dices "murciélago" mucha gente no se da cuenta de que ahí están todas las vocales, pero los poetas sí se dan cuenta.

Los poetas son muy amigos de las palabras, porque trabajan con ellas todo el día, escuchan su sonido, estudian su significado, las combinan con otras palabras, hacen experimentos… en fin: escriben poemas. Y si las palabras son poderosas, imagínate un poema, que es la combinación perfecta de las palabras poderosas.

Por eso, cuando leas un poema, prepárate, concéntrate, porque algo muy importante va a pasar: las palabras, convertidas en poema, van a cobrar vida. Es como un globo: antes de inflarlo es un pedazo de plástico de algún color, y ya; pero al inflarlo se va convirtiendo en una esfera perfecta que, cuando terminas, se va volando.

La comparación es buena: leer poesía es como inflar globos, es darle vida a algo que estaba ahí, en las páginas de un libro, esperando nuestra ayuda. Qué suertuda o suertudo eres si te gusta la poesía y sabes leerla, y la verdad es que es muy fácil aprender a leerla: sólo necesitas tener mucha imaginación y confianza.

¿Por qué confianza? Porque a veces la poesía dice cosas muy raras o locas que nunca pasan en la vida real. Pero, si tienes confianza, descubrirás que en el mundo de la poesía TODO puede pasar. Una vaca puede volar, puede haber una persona verde, puede haber viajes al pasado o una enredadera incendiada por la luz.

La poesía es muy misteriosa y es muy difícil, o tal vez imposible, conocer todos sus secretos. La poesía te va a revelar muchas cosas: la mirada te va a cambiar, y vas a aprender a ver cosas muy bellas, o muy feas, o muy peligrosas, o muy felices, donde antes sólo veías cosas normales.

La poesía también es una buena oportunidad para conocer mejor las palabras, su significado y su sonido. Por ejemplo: ¿sabes qué quiere decir "estruendo"? Suena como a "tremendo", como a algo fuerte. Pues estruendo significa "ruido grande". ¿Te fijaste cómo a veces el sonido y el significado de una palabra se parecen? Vas a descubrir muchas palabras nuevas y los sonidos y ruidos que las acompañan. También vas a encontrar montones de imágenes. ¿Te preguntas qué es una imagen? A ver, lee ésta: "La ceniza es el humo que se deja tocar": José Emilio Pacheco ha creado una imagen estupenda: la ceniza es como el humo, pero más dura, más tocable. Una imagen, en poesía, no es una explicación, sino una verdad, no necesita decir "es como el humo", dice "es el humo", porque en el mundo de la poesía, no lo olvides, todo puede pasar.

5

Comenten en grupo:

- ¿Qué les pareció la lectura?
- ¿Por qué el autor dice que la poesía es como la música y la pintura?
- ¿Están de acuerdo con el autor cuando dice que las palabras son poderosas?
- ¿Por qué?
- ¿Crees que las palabras cobran vida?, ¿qué significa esa expresión?
- Para ti, ¿qué es la poesía?

Todos leen

Revisa algunos libros de poemas que encuentres en la biblioteca de tu salón para que selecciones un poema, el que más te haya gustado. Te sugerimos algunos: *A la orilla del agua y otros poemas de América Latina, Amorcitos Sub-14, Gota de lluvia y otros poemas para niños y jóvenes, o Narices, buhitos, volcanes y otros poemas ilustrados.* También puedes llevar tus propios libros o consultar algún sitio electrónico.

El arte de leer poemas

Un poema se lee haciendo pausas y dándole entonación a la voz; cuando los leas, dale a cada palabra su valor, los sonidos y los silencios tienen significado también. Escucha el susurro de las *eses*, la sonoridad de las vocales, el rigor y el rugido de las *erres*… En un poema importa mucho cómo se dice lo que se dice.

Aquí te presentamos algunos poemas.

Dos milagros

Iba un niño travieso
cazando mariposas;
las cazaba el bribón, les daba un beso,
y después las soltaba entre las rosas.

Por tierra, en un estero,
estaba un sicomoro;
le da un rayo de sol, y del madero
muerto, sale volando un ave de oro.

Martí, José, *Poesía completa.* La Habana,
Letras Cubanas, 1993, pág. 217.

○○○ Consulta en...

- http://www.descargacultura.unam.mx
- http://www.fundacionletrasmexicanas.org
- http://www.conaculta.gob.mx

Un dato interesante

El escritor cubano José Martí fue uno de los iniciadores del modernismo en Hispanoamérica. Además de ser un gran poeta, luchó para conseguir la independencia de Cuba a fines del siglo XIX. Estuvo en México y en Estados Unidos, donde publicó importantes crónicas, como aquella en que narró la inauguración de la Estatua de la Libertad, en Nueva York. Publicó muchos poemas para niños.

Un dato interesante

José Emilio Pacheco, poeta, ensayista, novelista y cuentista mexicano, es integrante de la llamada "Generación de los años cincuenta". En 2009 fue reconocido con dos galardones internacionales: el Premio Cervantes y el Premio Reina Sofía.

Lección de estilo ———

Lección de estilo: los sapos
a orillas de su charca,
bien sentaditos,
frescos, felices,
con la piel húmeda por el calor
del verano,
parecen dar las gracias por su
breve existencia.

Pacheco, José Emilio,
Tarde o temprano.
México, FCE, 2000, pág. 590.

15

La higuera

Porque es áspera y fea,
porque todas sus ramas son grises,
yo le tengo piedad a la higuera.
En mi quinta hay cien árboles bellos,
ciruelos redondos,
limoneros rectos
y naranjos de brotes lustrosos.
En las primaveras,
todos ellos se cubren de flores
en torno a la higuera.
Y la pobre parece tan triste
con sus gajos torcidos que nunca
de apretados capullos se viste...
Por eso,
cada vez que yo paso a su lado,
digo, procurando
hacer dulce y alegre mi acento:
"Es la higuera el más bello
de los árboles todos del huerto".
Si ella escucha,
si comprende el idioma en que hablo,
¡qué dulzura tan honda hará nido
en su alma sensible de árbol!
Y tal vez, a la noche,
cuando el viento abanique su copa,
embriagada de gozo le cuente:
¡Hoy a mí me dijeron hermosa!

De Ibarbourou, Juana, *Poemas*.
Buenos Aires, Espasa-Calpe, 1942, pág. 112.

✛Canto a la bandera✛

¡Oh santa bandera! de heroicos carmines
suben a la gloria de tus tafetanes,
la sangre abnegada de los paladines,
el verde pomposo de nuestros jardines,
la nieve sin mancha de nuestros volcanes.

En plácidas brisas, tu símbolo hoy muestra
progreso, trabajo, civilización
y al ver que la Patria te encumbra en su diestra
con el alma toda como a madre nuestra
nosotros te alzamos sobre el corazón.

Si tornan las luchas de ayer a tu planta
sobre nuestros ojos de sombra cubiertos
tus almos colores entonces levanta
como buena madre, fiel bandera santa
envuelve la frente de tus hijos muertos.

López, Rafael y Julián Carrillo, *Canto a la bandera*.
México, SEP, 1948, p. 7..

Un dato interesante

Rafael López, poeta modernista guanajuatense, escribió poesía dedicada a la Patria, a la ciudad de México y a la mujer. Junto con Julián Carrillo, músico que inventó el sonido 13, compuso el *Canto a la bandera*, que se interpretó por primera vez en 1910 por diez mil niños. ¿Conoces la música?

Los sentimientos en los poemas

Reúnete con dos compañeros para que cada uno lea en voz alta el poema que seleccionó. Cada integrante responda las siguientes preguntas: ¿qué tema es el que se aborda en el poema?, ¿qué pensaba el poeta cuando lo escribió?, ¿qué estado de ánimo tendría?, ¿qué sentiste cuando leíste el poema?, ¿recordaste algo al leerlo? Comenta con tus compañeros qué palabras del poema te ayudaron a reconocer el sentimiento que evoca.

Lee en voz alta y para todo el grupo, el poema que seleccionaste. Comenta y explica los sentimientos que experimentaste y las imágenes que "viste" mientras lo leías. Después, elige una de las imágenes, la que más te haya gustado o la que exprese lo que sentiste y dibújala. Pega el dibujo en tu casa y explica a tus familiares y amigos su significado.

Identifica el motivo de los poemas

Aunque tradicionalmente se piensa que los poemas se refieren a motivos amorosos, también se abordan en ella otros, como los sociales y naturales. ¿Conoces algún poema que hable de estos motivos? Si es así, compártelo con tus compañeros.

Organízate con tu grupo. Identifiquen el sentimiento y el motivo de cada poema. Puedes organizar la información en un cuadro como éste; aumenta las filas que sean necesarias.

Poema	Motivo del poema	Sentimiento que evoca
Dos milagros		
Lección de estilo		
La higuera		
Canto a la bandera		

Con base en el cuadro anterior, agrupa, junto con tus compañeros, los poemas de acuerdo con la temática que contienen.

Elige, junto con tu grupo, los motivos que más les llamen la atención. Su profesor les proporcionará copias de los poemas que la abordan, también puedes transcribirlos.

Identifica y marca en cada uno de los poemas anteriores las frases que consideres más poéticas, las que más te hayan gustado o que más te hayan impactado.

Comenta con tus compañeros cuáles poemas te parecieron más llamativos y por qué.

De manera individual lee los siguientes poemas y después, contesta en tu cuaderno las siguientes preguntas:

¿De qué tratan? Si tuvieras que clasificarlos, ¿en qué motivo ubicarías cada uno?

¡A jugar con las palabras!

La poesía es como una hermosa lluvia de sentimientos, palabras y significados, que revolotea como aves maravillosas; también puede ser un conjunto de lunas flotando. ¿Con qué otro objeto podrías comparar a la poesía?

En un papel de color, elabora varios dibujos del objeto con el que comparaste a la poesía, escribe dentro de cada uno la frase o palabra que elegiste anteriormente por lo que te causó.

Recorta los dibujos y elabora un móvil que puedas colgar del techo o de las ramas de los árboles de tu escuela.

No te cuento

No te cuento qué alegría
tu e-mail me regaló:
estrellita a pleno día
que a mi alma deslumbró.

Y no te cuento que ahora
—ya de noche— brilla más…
Desde la computadora
junto conmigo estarás.

Qué joyita inesperada
es tu amorcito… y bien sé
que… aunque no te cuento nada…
¡lo cierto es que te conté!

Bornemann, Elsa, "No te cuento"
en *Amorcitos Sub-14*. México,
SEP/ Santillana, 2004, pág. 34.

Trompo

El trompo que gira músicas menores
movido, sin tregua, por tenue cordón,
el trompo de siete colores
¿no es un corazón?

Ortiz de Montellano, Bernardo,
Obra poética. México, UNAM, 2005,
pág. 89.

Noble animal

El perro no era mío.
Yo lo encontré una siesta
por la orilla del río.

Le hice un poco de fiesta,
le halagué las ijadas
y el dorso polvoriento,
y él, contento,
me puso en las rodillas
sus dos patas mojadas.

Pedroni, José, *Cantos del hombre*
(fragmento). Santa Fe, Castellvi,
1960, pág. 114.

A un **hombre** de **gran nariz**

Érase un hombre a una nariz pegado,
érase una nariz superlativa,
érase una *alquitara* medio viva,
érase un pez espada mal barbado;
era un *reloj de sol* mal encarado,
érase un elefante boca arriba,
érase una nariz *sayón* y escriba,
un Ovidio Nasón mal narigado.
Érase el espolón de una galera,
érase una pirámide de Egipto,
las doce tribus de narices era;
érase un naricísimo infinito,
frisón archinariz, caratulera,
sabañón garrafal, morado y frito.

De Quevedo, Francisco,
Poemas escogidos (fragmento).
Madrid, Castalia, 1989, pág. 188.

¿Literal o metafórico?

Los poetas utilizan el lenguaje de manera diferente a como lo hacemos en la vida diaria. Para expresar sentimientos y emociones emplean el lenguaje figurado; es decir, combinan las palabras para crear sonidos y significados nuevos, las acomodan y crean con ellas música: crean mundos desconocidos.

El sentido literal se usa para decir algo de manera clara y que no dé lugar a otros significados o interpretaciones, por ejemplo: "Las hojas de la milpa son de color verde y las mazorcas tienen tonos amarillos".

En cambio, el sentido metafórico se utiliza para sugerir comparaciones y sustituciones que, por lo insólito, extraño o novedoso, te impresionan o te provocan una emoción, por ejemplo: "Las hojas de la milpa son como esmeraldas; las mazorcas son oro".

El sentido metafórico juega con los sonidos, las imágenes, el colorido, las texturas, los olores y sabores; compara con piedras preciosas, sustituye significados y puede convertir un grano de maíz en oro o en luz.

Comenta con tus compañeros cómo se utiliza el lenguaje metafórico en los siguientes *Jaikais* de José Juan Tablada.

Fichero del saber

Investiga y explica con tus palabras qué es el sentido literal de una palabra o frase y qué es el sentido metafórico.
   Elabora una ficha.

El sauz
Tierno sauz
casi oro, casi ámbar,
casi luz...

Sandía
Del verano, roja y fría
carcajada,
rebanada
de sandía!

La luna
Es mar la noche negra,
la nube es una concha,
la luna es una perla.

Tablada, José Juan, *Los mejores poemas*. México, UNAM, 1993, págs. 53, 55 y 58.

De manera grupal, elijan un personaje de un cuento, pueden buscar su dibujo en algunos libros, revistas o en internet. Ahora traten de describirlo oralmente utilizando el lenguaje con sentido literal y metafórico. Pueden utilizar un cuadro como el de abajo para escribir sus características.

Trata de escribir un pequeño poema en el que describas al personaje. Utiliza las metáforas del cuadro.

	Sentido literal	Sentido metafórico
Carácter	Apasionado	Fuego arrasador
Ojos	Duros, sin expresión	Gotas de frío acero
Cabello	No agradable al tacto, erizado	Pila de alfileres que coronan su cabeza

Fichero del saber

Las comparaciones y las metáforas son los recursos de la escritura poética. Busca semejanzas y sustituye el significado de las palabras: Si tus ojos brillan y son **como** luceros (comparación) puedo decir que tus ojos **son** los luceros de tu rostro (metáfora). Escribe una ficha con tu propia definición de metáfora. Incluye algunos ejemplos.

Escucha con atención las indicaciones e información que dé su maestro para que localices en los poemas que has leído, algunas frases o palabras en las que se utilice el sentido metafórico. Organízate con tu grupo para anotarlas en un pliego de papel, con letra grande; pégalo a la vista de todos.

Abajo de cada frase metafórica escribe la referencia bibliográfica con ayuda de tu profesor.

La rima en los poemas

¿Sabes qué es la rima? Trata de identificarla en el siguiente poema.

Metamorfosis

Era un cautivo beso enamorado
de una mano de nieve, que tenía
la apariencia de un lirio desmayado
y el palpitar de un ave en la agonía.

Y sucedió que un día,
aquella mano suave
de palidez de cirio,
de languidez de lirio,
de palpitar de ave,
se acercó tanto a la prisión del beso,
que ya no pudo más el pobre preso
y se escapó; mas, con voluble giro,
huyó la mano hasta el confín lejano,
y el beso que volaba tras la mano,
rompiendo el aire, se volvió suspiro.

Urbina, Luis G., *Los cien mejores poemas*.
México, Aguilar, 1969, pág. 73.

Cada línea de un poema se llama *verso* y el conjunto de versos componen una *estrofa*. Hay poemas con varias estrofas; cada estrofa se separa con una línea en blanco. ¿Cuántas estrofas tiene el poema anterior?, ¿cuántos versos tiene cada estrofa? Comenta con tus compañeros y profesor.

Hay poemas que tienen *rima* y otros que no. En un poema hay rima cuando la última palabra de dos o más versos termina con **sonidos** iguales o muy parecidos. En el poema "Noble animal", *mío* rima con *río*, *siesta* rima con *fiesta*, *polvoriento* rima con *contento*.

Fichero del saber

Escribe en una ficha el concepto de rima, incluye algunos ejemplos. Elabora otra en la que expliques la estructura de los poemas (versos y estrofas), recuerda ejemplificar. Investiga en otras fuentes para enriquecer la información de estos conceptos.

Revisa los poemas que has leído. ¿Cuáles tienen rima?, ¿cuáles no la tienen?, ¿cómo se escucha un poema con rima? Comenta con tus compañeros qué efecto tiene la rima en el poema.

¡A jugar con las palabras!

Para este juego se necesita una madeja de estambre y un voluntario que asuma la función de escribano.

1. En grupo, salgan al patio y formen un círculo. Un alumno tomará la punta de la madeja con una mano y con la otra arrojará el estambre a un compañero. Al momento de arrojar el estambre dirá una palabra.
2. El compañero que reciba el estambre tendrá que *decir* una palabra que rime con la anterior. Todo el grupo estará atento a que esta condición se cumpla, si no se cumple, el estambre tendrá que regresar al compañero anterior. El escribano irá anotando todas las palabras que se digan.
3. Cuando a todos los niños les haya tocado decir una palabra, se regresan el estambre en sentido contrario. Regresen al salón.

La aliteración en los poemas

Otro recurso que se emplea en los poemas lo constituye la *aliteración*. Los poetas utilizan la repetición de alguna vocal o consonante de manera muy repetitiva para crear algunos efectos de sonido. Lee en voz alta estos famosos ejemplos:

■ "Los suspiros se escapan de su boca de fresa." (Rubén Darío) La continua repetición del sonido **s** se parece a como suenan los suspiros. ¿Tú qué piensas?
■ "En el silencio sólo se escuchaba un susurro de abejas que sonaba" (Garcilaso de la Vega).
■ "El ruido con que rueda la ronca tempestad" (José Zorrilla).

¿Qué sonidos se repiten en los anteriores versos?, ¿qué te imaginas cuando escuchas su repetición? Comenta tus respuestas con tu grupo.

Elige una letra del abecedario y trata de escribir una aliteración.

Reúne todo en un apunte

Auxiliándote de las fichas que elaboraste en este proyecto, participa junto con tus compañeros en una lluvia de ideas. Menciona, explica y ejemplifica los recursos literarios con los que has trabajado. El profesor escribirá en el pizarrón cada uno de los recursos, así como su función y ejemplo.

A partir de las anotaciones que hizo el profesor, redacta, junto con tu grupo, un apunte que integre toda la información anterior. No olvides poner los datos de referencia de cada fragmento de los poemas que utilices para ejemplificar. Escribe la versión final del apunte en tu cuaderno.

Planifica la escritura de un poema

Trabaja con un compañero. Primero, elijan el tema sobre el que escribirán y el sentimiento que desean expresar.

Escriban una lista de palabras que se refieran al tema. Asegúrense de que en la lista estén incluidos verbos, sustantivos, adjetivos o frases adjetivas. Busquen palabras que rimen con las ya anotadas y con ellas formen enunciados.

Producto final

Escribe de manera individual tu poema. Retoma los enunciados que escribiste con anterioridad.

Revisa los recursos que puedes emplear para que el lenguaje y las ideas sean diferentes a las que usas normalmente. Utiliza el sentido metafórico del lenguaje.

Después de que lo termines, vuelve a leer el poema tantas veces como creas necesario y haz las modificaciones hasta lograr que cause el efecto que planeaste. Intercámbialo con el del compañero con quien trabajaste al hacer la lista de palabras.

Escucha sus observaciones respecto al tema y a los sentimientos que le inspiró, así como los comentarios acerca de la redacción y ortografía.

Modifica y enriquece el poema a partir de las sugerencias de tu compañero. Elabora la versión final del poema. Puedes ilustrarlo.

Publica tu poema en el periódico escolar o elabora una antología con los poemas de tus compañeros para integrarla en la biblioteca del salón.

Comparte con tus familiares el poema que escribiste. Si lo hiciste pensando en alguien en especial, haz que lo reciba. ¡Seguramente le encantará!

Logros del proyecto

Comenta con tu grupo lo que aprendiste y sentiste al escribir y corregir tu poema.

- ¿Es diferente o igual que escribir otro tipo de textos?
- ¿Sabías que tenías facilidad para escribir poemas o te pareció muy complicado?
- ¿Cuál de los poemas que leíste te gustó más?, ¿en cuál identificaste tus sentimientos?
- ¿Te gustaría seguir leyendo poemas?
- ¿Qué recursos literarios utilizaste al escribir tu poema?

Autoevaluación

Es tiempo de revisar lo que has aprendido después de trabajar en este proyecto. Lee cada enunciado y marca con una palomita (✓) la opción con la cual te identificas.

	Lo hago muy bien	Lo hago a veces y puedo mejorar	Necesito ayuda para hacerlo
Leo con entonación y claridad los poemas.			
Identifico qué sentimientos quiere producir un poema.			
Identifico el lenguaje literario.			

Marca con una palomita (✓) la opción que diga la manera como realizaste tu trabajo:

	Siempre	A veces	Me falta hacerlo
Comparto la lectura de poemas.			
Participo en las distintas actividades grupales.			

Me propongo mejorar en: _____

_____

PROYECTO: Expresar por escrito una opinión fundamentada

El propósito de este proyecto es que debatas, empleando opiniones fundamentadas que fueron escritas con anterioridad.

Para esto investigarás sobre los transgénicos u organismos genéticamente modificados (OGM) ya que es un tema de actualidad; analizarás diversos textos informativos, para que al debatir sobre el tema puedas defender tu opinión. Al final elaborarás un texto con tu opinión, el cual publicarás.

Para este proyecto necesitarás:

- textos informativos
- libros de la biblioteca del salón

Lo que conozco

Comenta las siguientes preguntas:

- ¿Alguna vez has presenciado un debate en el que existen dos puntos de vista distintos sobre un tema? ¿Acerca de qué hablaban?
- Cualquiera que sea tu opinión acerca del tema que se cuestiona, ¿en qué debes basar tus argumentos?
- ¿Podrías citar algún otro tema polémico?

Los transgénicos u organismos genéticamente modificados son plantas o animales que han sido manipulados en laboratorios.

Esta manipulación consiste en agregar genes a la cadena de ADN de dichas plantas y animales, para cambiar o combinar características entre ellos. Estas características pueden ser de resistencia hacia enfermedades, herbicidas, insecticidas o bien para mejorar su calidad nutricional.

Esta nueva tecnología está provocando una serie de preguntas, argumentos y consideraciones éticas, a favor o en contra, sobre su manejo y utilización. Sin embargo, esta tecnología también afecta la economía de los campesinos y los consumidores.

Algunos sectores consideran que estos productos son dañinos para la salud y una de las posibles causas de empobrecimiento del campo. Pero no basta con tener un solo punto de vista, es importante conocerlos todos, o al menos investigar un poco más sobre este tema.

Escucha la lectura que se hará en voz alta del texto que se te presenta a continuación.

Te sugerimos que si encuentras palabras que no conozcas, las subrayes para que las comentes después.

Organismos genéticamente modificados

Una opción más

Los organismos genéticamente modificados (OGM) o transgénicos no deben ser satanizados, pues no se ha demostrado que su consumo ponga en riesgo la salud humana; pero tampoco deben ser considerados la panacea ante la crisis alimentaria global.

De acuerdo con el secretario ejecutivo de la Comisión Intersecretarial de Bioseguridad de los Organismos Genéticamente Modificados (CIBIOGEM), el doctor Ariel Álvarez Morales, los OGM "desde el punto de vista técnico son seguros, pues tenemos un mayor control del producto final al insertar un gen que al hacer una cruza de especies.

Además, por una cuestión de precaución, [a estos organismos] se les aplica un régimen de evaluación y vigilancia que nunca antes ha tenido otro grupo de alimentos; medidas sólo comparables con las utilizadas en la industria farmacéutica".

El funcionario considera que tampoco debe pensarse en estos organismos como la solución al problema del hambre, pues no es cierto que con ellos "vamos a duplicar el rendimiento del campo. Los alimentos genéticamente modificados son una herramienta más que debemos sumar al uso de productos agrícolas criollos, híbridos y orgánicos".

Diez años de retraso en investigación

Sobre la presencia de los transgénicos en nuestro país, el doctor Álvarez comentó que productos de este tipo se importan y consumen desde hace algunos años, incluso ya se siembran, como el algodón; no así el maíz cuya diversidad es muy amplia y debe protegerse.

Que no se siembre semilla de maíz transgénico obedece a que se desconoce cómo los transgenes que lleguen en el polen de estas plantas podrían afectar a las variedades criollas o parientas silvestres del maíz mexicano.

"Supongamos que tenemos maíz transgénico tolerante o resistente a ciertos niveles de sequía. ¿Qué va a pasar cuando haya flujo del polen de esta variedad a los parientes silvestres del maíz? ¿Éstos ampliarán su hábitat y desplazarán a otras poblaciones de plantas? Eso no sería deseable, pues no queremos modificar el medio ambiente de esa forma.

Durante diez años hubo una moratoria en México que nos impidió experimentar con maíz genéticamente modificado, y desarrollar el conocimiento que ya deberíamos tener sobre las consecuencias de sembrarlo. Hemos desperdiciado todo ese tiempo y ahora debemos recobrarlo para poder responder estas preguntas.

"Recientemente, se están dando las condiciones legales para experimentar con maíz. Hace dos años se publicó la ley de bioseguridad y, este año, el reglamento de la ley".

Este esquema de bioseguridad fue elaborado por especialistas del INIFAP, del CINVESTAV, de la UNAM y de otras instituciones académicas, y fue sometido a consulta pública a través de la Comisión Federal de Mejora Regulatoria (CO-FEMER), "ya sólo falta que sea publicado en el *Diario Oficial de la Federación* para iniciar proyectos de investigación con maíz".

José Luis Olin Martínez
Revista *Ciencia y desarrollo*, vol. 34, núm. 225, noviembre de 2008, www.conacyt.mx/comunicacion/revista
(20 de febrero, 2010)

En parejas comenten sus ideas respecto del tema que trata el texto. Comparen las palabras que subrayó cada uno.

Realicen otra lectura del texto en parejas. Traten de encontrar el significado de las palabras subrayadas, a partir del contenido.

Mi diccionario

Cada equipo escriba en el pizarrón todas las palabras cuyo significado desconozca. Comenta en grupo cuál creen que es su significado, según el contexto. Intenten dar una definición lo más precisa posible y piensen si tiene sentido ese significado dentro del fragmento que leyeron. Busquen en un diccionario esas palabras y, después, anoten su definición en sus diccionarios.

Fichero del saber

Revisa una vez más el texto "Organismos genéticamente modificados", y localiza las palabras que contengan mayúsculas. Comenta y anota en tu cuaderno cuándo se utilizan en este texto. Revisa ahora el uso del punto. Elabora una ficha en la que expliques las diferencias entre punto y seguido, y punto y aparte.

Toma notas

Nuevamente en parejas relean el texto "Organismos genéticamente modificados" y contesta en tu cuaderno las siguientes preguntas:

- ¿Qué son los alimentos transgénicos?
- ¿Qué son los alimentos orgánicos?
- ¿En qué consiste el esquema de bioseguridad que fue elaborado por especialistas mexicanos?

Identifica en el texto leído aquellas palabras que sirvan para establecer relaciones entre dos oraciones, y anótalas en tu cuaderno; por ejemplo, *ya que, porque, después de, después que, entonces, sin embargo, por lo tanto, aunque, en primer lugar, finalmente, por ejemplo.* A estas palabras se les llama *conectivos.*

En grupo y con base en sus anotaciones, mencionen a su maestro las ideas centrales del texto, mientras uno de sus compañeros anota en el pizarrón las palabras clave para recordar los puntos principales.

Con las palabras clave, escriban enunciados cortos que resuman las ideas principales. Utilicen adecuadamente las palabras nuevas que han aprendido.

Todas las palabras desconocidas y la definición del grupo pueden escribirse en tarjetas.

Opiniones diferentes

A continuación te presentamos dos textos informativos con posturas diferentes sobre el mismo tema. Elige uno para leer con tu equipo, subraya las palabras que no conozcas y elabora un cuadro sinóptico con palabras clave.

El aguacate

México es uno de los países con más amplia diversidad de tipos de aguacate, pues existen en su territorio al menos 20 diferentes especies emparentadas con el aguacate común (*Persea americana*). Para clasificar la diversidad del aguacate se ha empleado el concepto de razas y en el país se reconocen tres: mexicana, antillana y guatemalteca.

Gracias a su diversidad, los programas de mejoramiento genético se han enfocado en dos objetivos principales: obtener nuevas variedades cultivadas y seleccionar portainjertos. En el país, solamente dos instituciones están realizando mejoramiento genético: el Instituto Nacional de Investigaciones Forestales, Agrícolas y Pecuarias (INIFAP) y la Fundación Salvador Sánchez Colín-Cicatamex, S.C., en colaboración con la Universidad Autónoma Chapingo (UACH). En Nayarit, el INIFAP selecciona portainjertos tolerantes a la sequía y a una enfermedad denominada "tristeza del aguacatero", causada por el alga (antes clasificada como hongo) *Phytophthora cinnamomi*. En el caso de Cicatamex y la UACH eligen portainjertos resistentes a la *P. cinnamomi* y la base genética utilizada principalmente es de germoplasma de la raza mexicana proveniente de todo el país. También están utilizando germoplasma de las razas mexicana y guatemalteca para hacer cruzamientos, con el fin de buscar variedades cultivadas de mejor calidad que se produzcan fuera de temporada, así como aguacates para la industria.

Desde los años cincuenta ha habido esfuerzos destinados a establecer y mantener bancos de germoplasma. En los años setenta se realizaron exploraciones y recolectas por el entonces INIA (Instituto Nacional de Investigaciones Agrícolas), que se depositaron en Celaya, Guanajuato, con lo que se conformó un banco de germoplasma que aún existe. En los años noventa, investigadores de Cicatamex y la UACH realizaron recolectas en México y el extranjero, formando lo que es actualmente el banco de germoplasma más diverso del país.

Como parte de las acciones de la Red de Aguacate del Sistema Nacional de Recursos Fitogenéticos para la Alimentación y la Agricultura se decidió crear el Departamento Nacional de Germoplasma de Aguacate, ubicado en dos campus, Coatepec Harinas, Estado de México, y en Celaya, Guanajuato, los cuales albergan alrededor de 800 accesiones, más las que lleguen a recolectar, incluyendo no sólo *Persea americana*, sino muchas especies del género y otras afines.

Barrientos-Priego, Alejandro F.
Biodiversitas 88, México, Conabio, 2010, págs. 1-7.

El cultivo del aguacate orgánico en México

El aguacate en México se ha aprovechado desde antes del tiempo de la Colonia por los pueblos indígenas de México, Centroamérica, Perú y Chile. Cuando llegaron los españoles ya era cultivado.

El mejoramiento genético del aguacate criollo en nuestro país decreció paulatinamente, con el ingreso de la variedad Fuerte, importada de los Estados Unidos, a principios de los sesenta, al ser sustituidas las huertas criollas con las nuevas variedades. La variedad Hass es la más aceptada tanto por el consumidor como por el productor.

El manejo orgánico de huertos de aguacate surge como una alternativa de manejo agroecológico, debido a que el suelo ha perdido la característica de ecosistema viviente y que los insectos, hongos, bacterias y otros microorganismos han perdido su equilibrio en los agrosistemas por la forma en que hemos manejado la agricultura, situación que es necesario analizar y corregir antes de que sea demasiado tarde, ya que en nuestro país contamos con dos amargas experiencias como es la del Valle de Apatzingán y la de la Región Lagunera, zonas que fueron agotadas en un lapso muy corto de explotación agrícola.

En la actualidad, con los adelantos científicos, se sabe que la mayor parte de los insumos de síntesis química sólo han propiciado erosiones y contaminación de los suelos, disminución de la biodiversidad genética, vulnerabilidad de los cultivos a los insectos, fomento del monocultivo y reducción de los alimentos disponibles, ocasionando el empobrecimiento de grandes masas de campesinos e incrementando los conflictos sociales en el campo y la ciudad.

Como una alternativa, en nuestro país surge la agricultura orgánica, la cual retoma conocimientos prehispánicos y progresos científicos de todas las disciplinas agronómicas, excluyendo, por sus resultados e impactos negativos y por la alta dependencia tecnológica que representan, los insumos de síntesis química. Se considera que lo más importante es lograr una producción sostenida, de buena calidad y que se ajuste a las condiciones ambientales y cosmobiológicas de nuestro país.

Dr. Rubén Quintero Sánchez.
México, Cesavesin, 2002,
en www.cesavesin.gob.mx

Y tú, ¿qué opinas?

Discute con tu equipo cuáles son las ideas principales del texto que leyeron. Traten de acompañar sus argumentos con referencias de párrafos textuales, en los que se expliquen sus afirmaciones.

A partir de las ideas principales del texto, escriban notas. Recuerda primero definir las palabras desconocidas a partir de su contexto.

Nuevamente busca todas aquellas palabras o frases que sirven para relacionar oraciones, y anótalas en tu cuaderno, como lo hiciste en la primera lectura, es decir, completa la lista.

Mi diccionario

Con las palabras que subrayaste en los textos, haz un cuadro de tres columnas cuyos encabezados sean: Palabra, Creo que significa y El diccionario dice. Compara ambas definiciones y construye una propia. Es muy probable que las palabras nuevas que encontraste sean tecnicismos; esto es, palabras del lenguaje específico de una ciencia, arte u oficio.

○○○ Consulta en...

Si te interesa buscar más información sobre los organismos genéticamente modificados y sus posibles impactos en el medio ambiente, te sugerimos consultar los siguientes sitios electrónicos:

http://www.semarnat.gob.mx
http://www.cls.casa.colostate.edu
http://www.greenpeace.org/mexico

A buscar

Localiza en las bibliotecas escolares textos acerca del tema; busca en la biblioteca de tu comunidad, en revistas y en internet. Reúne textos con diferentes puntos de vista sobre alimentos transgénicos y alimentos orgánicos.

¿Cuál es tu punto de vista?

Una vez que hayas concluido la lectura del texto que te tocó, redacta notas con las ideas principales a partir de las palabras clave, e identifica el punto de vista del autor del texto: ¿está a favor o en contra de determinado tipo de alimentos?, ¿menciona ventajas o desventajas?

Intercambia tus notas con las de otro compañero, de preferencia que haya leído un texto diferente al que tú seleccionaste.

Comenta con tu equipo las diferencias encontradas, y evalúa si tienen puntos de vista diferentes y cuáles son. Procura utilizar ejemplos.

Escribe las conclusiones de tu equipo en tarjetas.

algodón

mermelada

¡A debatir!

Es momento de debatir. Para esto, el grupo se dividirá en dos equipos: los que estén a favor de los transgénicos y los que estén en contra; o bien, los que estén a favor de los alimentos orgánicos y los que estén en contra.

Revisa las notas de los textos que leíste. Lee con mucha atención los argumentos a favor o en contra del tema que debatirán, para que elijas los que te sirvan para defender tu posición al respecto.

Antes de iniciar el debate, nombren a uno o varios secretarios, quienes se encargarán de identificar las ideas centrales del debate y anotarlas.

El moderador dará la palabra a ambos equipos de manera alterna, hará preguntas para alentar la discusión y guiará los argumentos.

Pide tu turno para hablar y respeta a quien está hablando. No olvides que para una adecuada comunicación, es importante escuchar con respeto los puntos de vista de los demás.

Toma notas de los argumentos que exponga cada equipo. El moderador guiará las intervenciones para llegar, al final, a algunas conclusiones.

Una vez terminado el debate, participa en la redacción de los argumentos y las conclusiones que se obtuvieron. Te sugerimos utilizar hojas de rotafolio o pliegos de papel.

Producto final

Ahora, escribe con tu grupo un texto que podrás enviar a un periódico local, publicarlo en la gaceta escolar o hacer con él un periódico mural.

Revisa las notas que escribieron en grupo y elige los argumentos principales. Señala qué ideas resultan más importantes, y cuáles sirven para apoyar y ejemplificar.

Escribe en el pizarrón un texto en el que se argumente la posición del grupo respecto del uso, ventajas y desventajas de los alimentos transgénicos y de los orgánicos.

Utiliza el vocabulario nuevo que ahora conoces y que tienes en tu diccionario.

Verifica que el texto exprese claramente el punto de vista del grupo, y que contenga, además de argumentos, algunas conclusiones.

Recuerda utilizar las mayúsculas en nombres propios y al inicio de las oraciones.

Usa adecuadamente la puntuación para separar oraciones, y también recuerda usar conectivos cuando sea necesario.

Revisa el borrador, propongan las mejoras necesarias y redacten la versión final.

Logros del proyecto

Comenta con tu grupo:
- ¿Qué opinas de dar a conocer tu punto de vista a otros a partir de lo que tú has investigado?
- ¿Qué aspectos tomaste en cuenta para defender tu punto de vista?
- ¿Qué comentarios has recibido de tu texto una vez que lo difundiste?
- ¿Qué otro tipo de ideas propias te gustaría que la gente conociera?

Autoevaluación

Es tiempo de revisar lo que has aprendido después de trabajar en este proyecto. Lee cada enunciado y marca con una palomita (✓) la opción con la cual te identificas.

	Lo hago muy bien	Lo hago a veces y puedo mejorar	Necesito ayuda para hacerlo
Utilizo los textos informativos para la búsqueda de información.			
Opino de manera fundamentada empleando la información que investigué.			
Empleo el diccionario para confirmar la definición de conceptos.			

Marca con una palomita (✓) la opción que diga la manera como realizaste tu trabajo:

	Siempre	A veces	Me falta hacerlo
Participo adecuadamente en un debate.			
Intervengo en el trabajo por equipos.			

Me propongo mejorar en: _____

_____

Evaluación del bloque III

Es tiempo de que revises lo que has aprendido después de trabajar en este bloque.
Lee cada enunciado y elige la opción que consideres correcta.

1. Son ejemplos de formas de organizar y clasificar la información:

    a) Párrafos y oraciones.
    b) Imágenes y fotografías.
    c) Cuadros sinópticos y tablas.
    d) Oraciones y cuadros.

2. El juego "basta" es un ejemplo de:

    a) Tabla de datos.
    b) Párrafos argumentativos.
    c) Cuadro sinóptico.
    d) Mapa mental.

3. Una fuente útil para encontrar información sobre alimentación es:

    a) Un diccionario bilingüe.
    b) Un cuento.
    c) Una revista de temas históricos.
    d) Un libro de cuidado de la salud.

4. Un tema por tratar sobre el que no se pueda hacer una clasificación es:

    a) El planeta Marte.
    b) Los tipos de ecosistemas.
    c) El sistema solar.
    d) Los alimentos nutritivos.

5. Los cuadros sinópticos son útiles para:

    a) Narrar acontecimientos.
    b) Organizar la información más importante de un tema.
    c) Describir las ideas contenidas en un texto.
    d) Convencer a una audiencia de un punto de vista específico.

6. En el primer párrafo del texto "Alimentos transgénicos y alimentos orgánicos", el punto y seguido se utiliza para:

a) Separar dos ideas diferentes que se refieren al mismo tema.
b) Separar dos enunciados que abordan temas diferentes.
c) Separar dos párrafos que abordan temas diferentes.
d) Separar dos títulos que se refieren a temas diferentes.

7. Algunos de los recursos que se emplean en los poemas son:

a) Los datos y las evidencias.
b) La metáfora y la aliteración.
c) Las definiciones y las explicaciones.
d) Los párrafos y las instrucciones.

8. Los poemas suelen tener una estructura formada por:

a) Enunciados y argumentos.
b) Los símiles y las metáforas.
c) Párrafos y ejemplos.
d) Versos y estrofas.

9. La frase "Rápido ruedan los carros del ferrocarril" es ejemplo de una

a) Reiteración.
b) Rima.
c) Metáfora.
d) Aliteración.

10. Elabora un pequeño texto en el que expongas lo más importante de lo aprendido durante estos tres proyectos. Cuida tu redacción y ortografía.

_____

_____

_____

_____

Ámbito: Estudio

PROYECTO:

Reeditar un artículo de divulgación

El propósito de este proyecto es que leas, edites y escribas artículos de divulgación científica, para lo cual reconocerás la estructura, función y características de ese tipo de textos, así como los recursos de apoyo que utilizan.

Al final, darás a conocer tu propio artículo de divulgación.

Para este proyecto necesitarás:

- artículos de divulgación científica en revistas o periódicos

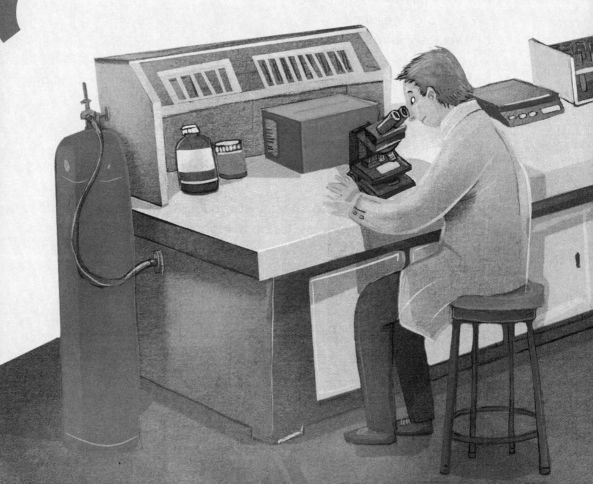

Lo que conozco

Todos los días, investigadores de diferentes partes del mundo hacen importantes descubrimientos que ayudan a conocer mejor el funcionamiento del cuerpo humano. Con esos conocimientos, podemos optimizar nuestra forma de vivir y de cuidar nuestra salud. Los artículos de divulgación nos permiten conocer, con lenguaje claro y sencillo, los resultados de las investigaciones, que son producto de muchos años de trabajo. ¿Quieres conocer cómo está armado un artículo de divulgación?, ¿has leído alguno?, ¿sobre qué tema? Comenta con tus compañeros dónde has encontrado este tipo de artículos.

Lee el artículo de divulgación de la siguiente página.

¿Estás comiendo bien?

La energía es importante

Después de que el individuo abandona el seno materno, en ningún otro momento de la vida éste crece en forma tan acelerada como en la pubertad. Esta condición supone un aumento en las necesidades de energía, lo que se caracteriza por un mayor apetito. Cuando esta avidez de alimento se satisface en forma excesiva o no se realiza suficiente actividad física, puede aparecer sobrepeso e incluso obesidad. Se ha demostrado que las dietas basadas en alimentos que aportan gran cantidad de energía en poco volumen (alta densidad energética), como los pastelillos, los helados, las bebidas azucaradas y las frituras, suelen ser deficientes en vitaminas y nutrimentos inorgánicos.

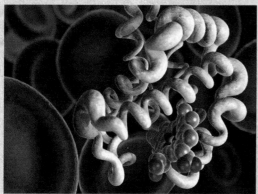

La hemoglobina es una molécula que transporta el oxígeno desde los pulmones a los tejidos y dióxido de carbono de los tejidos a los pulmones para ser exhalado. Cada molécula de hemoglobina consta de cuatro subunidades: dos cadenas alfa y dos cadenas beta. La figura muestra cómo se vería una subunidad. La espiral representa la cadena polipeptídica globulina. La cadena lleva un grupo hemo, que contiene el átomo de hierro que se une al oxígeno.

En países como Estados Unidos, Inglaterra, Bélgica o Brasil alrededor de un tercio de la población infantil y juvenil tiene obesidad o sobrepeso, especialmente las niñas. México no es la excepción, la Encuesta Nacional de Nutrición y Salud del año 2006, señala que 22% de los adolescentes tienen sobrepeso y 10% obesidad.

El problema de la obesidad va más allá de la estética, ya que a diferencia de lo que se pensaba, suele ir acompañado de otras enfermedades crónicas.

Clavos y gises

Si bien se reconoce que todos los nutrimentos son importantes —pues la carencia de cualquiera puede conducir a cuadros de deficiencia y, si la situación se prolonga, a la muerte—, durante la pubertad es necesario poner particular atención en el hierro, el calcio y el cinc.

El hierro se requiere para asegurar la adecuada oxigenación de la sangre y la eficiente generación de energía a lo largo de toda la vida, pero en la adolescencia su demanda aumenta debido al crecimiento de los tejidos corporales (en los varones este crecimiento corresponde sobre todo al tejido muscular) y el aumento en el volumen sanguíneo. En las mujeres el hierro es necesario para reponer las pérdidas debidas a la menstruación. Cuando la dieta no aporta la cantidad requerida de hierro, se produce una disminución de la reserva corporal (deficiencia) y, si no se corrige, anemia. La deficiencia de hierro puede afectar la respuesta inmune, lo que disminuye la resistencia a infecciones y deteriora la capacidad de aprendizaje, pues se ha demostrado que la anemia afecta la memoria de corto plazo.

La deficiencia de hierro puede afectar la respuesta inmune

El hierro se puede obtener de las carnes rojas; las leguminosas, como los frijoles y las hojas verdes (como las espinacas), si se acompañan de alimentos ácidos (como las salsas o el agua de limón); los alimentos adicionados, como los cereales para desayuno, también son una buena opción. En la pubertad también se requiere calcio debido al acelerado desarrollo muscular, óseo y endocrino; en este periodo es cuando se retiene la mayor cantidad de calcio en el organismo. De acuerdo con diversos estudios, los adolescentes mexicanos tienen un consumo insuficiente de calcio. Se ha postulado que el alto consumo de refrescos en este grupo de edad contribuye a un aporte deficiente de calcio, con la desventaja adicional de que este tipo de bebidas disminuyen la absorción de este mineral, por ser alimentos muy ricos en fosfatos.

El cinc es otro nutrimento inorgánico importante durante la pubertad, ya que es indispensable para el crecimiento, la mineralización ósea, la maduración sexual y la síntesis de los ácidos nucleicos y proteínas. Su deficiencia se puede manifestar por pérdida de peso e infecciones como gripas y diarreas, ya que el cinc interviene en las funciones celulares determinantes en la respuesta inmune.

Algunos informes han mostrado que la deficiencia leve de cinc puede influir sobre los patrones de crecimiento en los adolescentes. Para disminuir este riesgo te sugerimos comer siempre algunos alimentos ricos en cinc, como los de origen animal (leche, carne o huevo), cereales integrales, nueces, almendras, avellanas, ajonjolí y germen de trigo.

Alimentación saludable

Hasta aquí se ha hablado de lo importante que son para la salud y la vida los nutrimentos y la energía, pero a ninguno se le antojaría cambiar un plato de chilaquiles con sus frijolitos y queso rallado por un par de cápsulas de nutrimentos (las cuales son innecesarias si se tiene una alimentación correcta). Los alimentos son el vehículo de los nutrimentos y su consumo nos proporciona placer y motivos de socializar. Por lo tanto, se debe hacer énfasis en los alimentos y no en los nutrimentos.

El plato del bien comer es una herramienta útil para este fin; fue diseñado por y para los mexicanos, y está basado en un proceso de investigación en el cual se consideraron tanto los aspectos técnicos como la percepción y la aceptación de la población. *El plato del bien comer* presenta tres grupos de alimentos: 1) verduras y frutas, 2) cereales y 3) leguminosas y alimentos de origen animal.

Sámano, Reyna; Luz María de Regil y Esther Casanueva "¿Estás comiendo bien?" en *¿Cómo ves? Revista de divulgación de la ciencia de la UNAM*, año 10, núm. 110, enero 2008, págs. 10-14.

Tips para una buena alimentación

Consume alimentos de los tres grupos en el desayuno, la comida y la cena:

- Muchas verduras (zanahoria, calabaza, ejote) o frutas (naranja, sandía, guayaba, manzana, melón). Prefiere las de temporada, que son más baratas y de mejor calidad.
- Suficientes cereales (pan, tortilla, galleta, tamales, sopa de pasta). Recuerda que los cereales son alimentos de alta densidad energética (aportan mucha energía por cada gramo de peso), por lo que no debes abusar en su consumo.
- Leguminosas (frijol, haba, garbanzo) y alimentos de origen animal (pescado, huevo, carne, pollo, leche, queso, yogur), que tienen proteína de buena calidad y hierro que se absorbe fácilmente, pero es recomendable limitar su consumo por su elevado contenido de colesterol.
- Come la mayor variedad posible de alimentos. Nuestros ancestros comían más de 250 especies de plantas y 120 especies de animales. Hoy en día, el maíz, el trigo, el arroz, la papa, algunas leguminosas y pocas verduras y frutas constituyen el 90% de los alimentos de origen vegetal que consumimos.
- Come de acuerdo con tus necesidades y condiciones, ni de más, ni de menos. No esperes a estar totalmente satisfecho porque la señal de la saciedad tarda entre 20 y 30 minutos en llegar al cerebro y cuando esto sucede probablemente ya comiste más de lo necesario.
- Consume lo menos posible de grasas, aceites, azúcar y sal. Si observas *El plato del bien comer*, verás que no incluye estos alimentos ya que están presentes de manera natural en otros alimentos y no es necesario agregarlos a nuestra dieta.
- Cocina con poca sal, endulza con escasa azúcar; no las pongas en la mesa, y modera el consumo de productos que los contengan en exceso.

Un dato interesante

Según la Organización para la Cooperación y el Desarrollo Económicos (OCDE), en septiembre de 2010 México ocupó el segundo lugar en obesidad a nivel mundial. El 30% de los mexicanos sufre obesidad, que es también un factor de riesgo por los numerosos problemas de salud que representa, como hipertensión, colesterol, diabetes, enfermedades cardiovasculares y algunos tipos de cáncer.

Comenta con tu equipo lo siguiente:

- ¿Por qué el texto tiene ese título?
- ¿Para qué sirven los recuadros y gráficos que incluye?
- ¿Hay algunas frases en letras más grandes o sacadas del texto?
- ¿Por qué son útiles los subtítulos? Señala algunos.

Señala todas las palabras que no conozcas y, junto con tu compañero, trata de inferir su significado. Luego, consulta un diccionario y trata de comprender el significado de la palabra en el contexto original del artículo.

Elaboren por escrito, a partir del texto, tres preguntas relacionadas con los temas del artículo.

Datos y argumentos

Identifiquen, en cada párrafo del desarrollo del tema, la idea principal. Recuerden que hay algunas oraciones que sólo sirven de apoyo a la principal.

¿Qué datos y argumentos ofrece el autor para apoyar sus afirmaciones? Señalen tres casos en que las afirmaciones se apoyen en datos, gráficas o argumentos.

Expliquen a sus compañeros por qué piensan que las ilustraciones, gráficas o recuadros están en ese sitio preciso.

Un artículo desarticulado

Observa la estructura del siguiente artículo: primero se presenta el texto, y después aparece información adicional en recuadros, tablas y gráficas.

Lee esta última información y posteriormente lee el texto del artículo. Comenta con tu equipo en qué partes del texto pueden insertarse cada uno de los gráficos y recuadros.

Obesidad infantil y alimentación deficiente

Los datos que reflejan las estadísticas son preocupantes. Cada vez más niñas y niños en México padecen serios problemas de sobrepeso y obesidad. El problema se mostró claramente desde 1999, cuando en la Encuesta Nacional de Nutrición, 27.2% de los niños presentaban sobrepeso: la Región Norte y la ciudad de México tuvieron una prevalencia de sobrepeso de 35.1% y 33.4%, respectivamente, mientras que en el Centro y el Sur fue menor (25.4% y 21.9%).

Para 2006 la prevalencia de sobrepeso y obesidad había aumentado en casi 10%. El sobrepeso y la obesidad pueden acarrear a niñas y niños una morbilidad y mortalidad superior a la de aquellos sin sobrepeso. Hipertensión, colesterol elevado, diabetes, cáncer de colon, riesgo de arterioesclerosis, infarto al miocardio o accidentes vasculares cerebrales son algunas de las enfermedades, antes exclusivas de la población adulta, que ahora están desarrollando desde temprana edad los niños y niñas con sobrepeso. El cambio de hábitos alimenticios y la inactividad son, aparentemente, la principal causa de ese incremento estadístico.

Entre los niños en edad escolar (5 a 11 años) destaca el problema de sobrepeso. Uno de cada cinco niños presenta sobrepeso u obesidad, esta tendencia se incrementa en zonas urbanas. Paralelamente, otro grave problema en este grupo de edad es la anemia. Las cifras son similares a las de la obesidad. Se encontraron consumos deficientes de vitaminas A, cinc, hierro, vitaminas E, C y ácido fólico. Algunas de las cifras que presentamos son alarmantes.

¿Qué es la obesidad?

La obesidad es una enfermedad crónica causada por muchos factores, que se caracteriza por la acumulación excesiva de tejido graso en el cuerpo, que aumenta su peso. Es resultado, generalmente, del desequilibrio entre el consumo y el gasto de energía. También suele estar relacionada con factores sociales, de conducta, culturales, genéticos, fisiológicos o metabólicos.

Entre los problemas asociados están los relacionados con la respiración, sensación de ahogo, somnolencia; también puede generar problemas ortopédicos y cutáneos, hinchazón de pies y tobillos.

La obesidad puede observarse como un desequilibrio en la distribución de grasa en el cuerpo. De acuerdo con esto, hay dos patrones de distribución (ginecoide y androide) que se asocia con cierto tipo de enfermedades.

Un niño se considera obeso cuando su peso es mayor en 20% del peso ideal para su edad, talla y sexo. La mejor medida para saber si se tiene sobrepeso es el índice de masa corporal (IMC), que es una proporción entre el peso y la talla.

Si el resultado está entre 25 y 29.99 kg/m^2 se debe consultar a un médico; pero si el resultado es mayor a 30 es urgente acudir con un médico.

Reconocer la obesidad como una enfermedad crónica y progresiva puede ayudarnos a entender que debemos tratarla médicamente, que no va a curarse espontáneamente sino sólo siguiendo cierto tratamiento. Éste consiste en seguir una dieta balanceada, hacer ejercicio y monitorear los avances con ayuda de un médico.

Para recuperar la salud, niños y niñas pueden seguir un programa alimenticio y de ejercicio.

http://www.pumitasfutbol.unam.mx/obesidad.html

Cifras alarmantes

- 1 de cada 4 niños es obeso; 1 de cada 3 está en riesgo de serlo.
- Los niños que son obesos a los 6 años tienen 27% de probabilidad de ser obesos de adultos.
- Los niños que son obesos a los 12 años tienen 75% de probabilidad de ser obesos de adultos.
- Un niño o niña obeso tiene 12.6% más probabilidades de tener diabetes mellitus y 9% más probabilidades de ser hipertenso.
- Los niños con 15% de sobrepeso suelen tener alteraciones ortopédicas, dificultad para estar erguidos, alteraciones en la columna y extremidades.

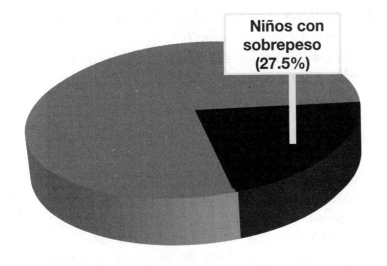

Niños con sobrepeso (27.5%)

Causas de sobrepeso y obesidad infantil

» Sobrealimentación

» Sedentarismo

» Factores hereditarios

» Situación hormonal

» Factores psicosociales y ambientales

» Otros

Patrón de distribución de grasa y enfermedades asociadas

	Patrón de distribución de grasa	Enfermedades asociadas
Ginecoide o en forma de pera	Cadera	Enfermedades de la vesícula
	Muslos	Várices
	Piernas	Constipación
Androide o en forma de manzana	Abdomen	Hipertensión arterial
	Vientre	Enfermedades del corazón
	Espalda baja	Infarto al corazón
		Diabetes
		Colesterol alto
		Daño en el riñón

Mi diccionario

Es muy probable que durante la lectura de los textos hayas encontrado varias palabras nuevas y de significado desconocido. Agrega nuevas definiciones a tu diccionario; realiza las siguientes actividades:

1. Primero, trata de aclarar el significado de las palabras a partir de la información que te proporciona el mismo texto.
2. Después busca en diccionarios y enciclopedias los significados de las palabras. Comparte tus hallazgos con tus compañeros para comprender el significado de las palabras en el contexto del artículo.
3. Construye tu propia definición y escríbela en tu diccionario.

Comparen el trabajo:

- ¿Señalaron en el mismo lugar la inserción de la gráfica, tabla y recuadro?
- ¿Se entiende mejor el texto con la gráfica, la tabla y el recuadro que sin éstos?

Armen el artículo

Armen el artículo como si fueran editores de la revista. Organicen la información para que sea comprensible.

Denle formato de artículo de divulgación: coloquen titulares, gráficas, ilustraciones y recuadros en el lugar más adecuado. Pueden emplear fotocopias, tijeras y pegamento, o crear su propio diseño en una computadora.

Fichero del saber

Reflexiona con tu grupo acerca de los siguientes elementos, y escribe una definición en el pizarrón que nombre las características de un artículo de divulgación:

- ¿A quién está dirigido?, ¿a especialistas o a gente que no conoce mucho del tema?
- ¿Cuál es su propósito principal?, ¿qué tipo de información transmite?
- ¿Qué recursos utiliza: descripciones, explicaciones, definiciones, demostraciones? Ejemplifica.
- ¿Qué función tienen las ilustraciones, fotografías, diagramas, gráficas?
- ¿Por qué el tema es actual?, ¿por qué es importante e interesante para la vida cotidiana?
- ¿Qué tipo de conclusiones ofrece?
- Revisa tu definición de artículo de divulgación con tu maestro y elabora una ficha.

Hagamos un artículo de divulgación

Ya conocen las características, estructura y elementos de un artículo de divulgación. Es momento de hacer un artículo del grupo.

Elijan un tema relacionado con la salud y escriban los diferentes subtítulos o secciones que tendría ese artículo.

Trabajen en equipo con una de las partes o secciones del artículo; cada equipo tendrá a su cargo una parte diferente.

Investiguen en libros, revistas y otras fuentes; tomen notas; hagan resúmenes; obtengan gráficos, tablas o ilustraciones para apoyar sus afirmaciones.

No toda la información se copia textualmente; apóyense en lo aprendido en otros proyectos para escribir con sus propias palabras la información más importante de un texto. Elaboren resúmenes y cuadros sinópticos.

Redacten la versión final de su sección del artículo y anexen los gráficos, datos, tablas o ilustraciones que proponen.

Producto final

En grupo, organicen la versión final del artículo.

- Integren sus diferentes partes. De ser posible, utilicen un procesador de palabras.
- Hagan una lectura completa para evitar repeticiones. Revisen la coherencia del texto general.
- Revisen la ortografía, el uso adecuado del vocabulario técnico y la puntuación.
- Decidan el acomodo de tablas, gráficos, datos e ilustraciones.
- Reproduzcan el artículo para divulgarlo en la escuela y la comunidad. Publíquenlo en el periódico escolar; si no es posible, hagan una versión en letra más grande para el periódico mural.

Logros del proyecto

Comenten en grupo:

- ¿Qué fue lo más interesante al hacer un artículo de divulgación?
- ¿Cumple con el propósito con el que fue elaborado?
- ¿Qué dificultades tuviste?
- ¿Cómo hiciste para localizar la información que necesitabas?

Autoevaluación

Es tiempo de revisar lo que has aprendido después de trabajar en este proyecto. Lee cada enunciado y marca con una palomita (✓) la opción con la cual te identificas.

	Lo hago muy bien	Lo hago a veces y puedo mejorar	Necesito ayuda para hacerlo
Identifico la pertinencia de datos, gráficas e ilustraciones en un texto expositivo.			
Reconozco las características de un artículo de divulgación.			
Empleo la puntuación de forma adecuada.			

Marca con una palomita (✓) la opción que diga la manera como realizaste tu trabajo:

	Siempre	A veces	Me falta hacerlo
Aporto ideas en el trabajo en equipo.			
Respeto el punto de vista de otros compañeros.			

Me propongo mejorar en : _____

_____

Ámbito: Literatura

PROYECTO: Hacer una obra de teatro con personajes prototípicos de cuentos

El propósito de este proyecto es que identifiques la estructura y características de los guiones teatrales.

¿Has ido alguna vez al teatro? Imagina todo el trabajo que hay detrás de una representación: actores, director, vestuario, música, iluminación, pero uno de los elementos más importantes para una buena obra, es un buen guión.

En este proyecto escribirás, con todo el grupo, el guión de una obra de teatro para que hagan luego una lectura dramatizada.

Para este proyecto necesitarás:

- cuentos de hadas
- hojas blancas
- película de cuento de hadas
- un pliego de papel
- computadora o máquina de escribir (opcional)
- reproductor de sonido (opcional)

Lo que conozco

Seguramente has leído o escuchado muchos cuentos de hadas: *Blanca Nieves, La Bella Durmiente, La Cenicienta, Pinocho, Caperucita Roja, La Sirenita, Hansel y Gretel, Ricitos de Oro…* ¿Qué otros cuentos recuerdas?

Comenta cómo son los personajes de esos cuentos. Hay buenos, malos, ingenuos, abusivos, simpáticos, flojos, y casi siempre ocurren en el bosque o en un lugar muy lejano en el que aparecen monstruos y brujas, los animales hablan, hay magia, conjuros o pócimas y, sobre todo, hay un hada siempre dispuesta a sacar del apuro a los personajes. ¿Cómo suelen terminar los cuentos?

Formen equipos y lean el cuento de hadas que les indique su maestro. Cada equipo leerá uno diferente.

Al final de la lectura, comenta el tipo de personajes que aparecen. Tal vez te pueda servir el cuadro de la página siguiente. Cópialo en tu cuaderno, agrégale columnas con más características y escribe los nombres de los personajes del cuento que leyeron.

Personaje	Bondadoso	Egoísta	Malvado	Tímido	Ingenuo	Astuto	Simpático	Valiente	Hermoso	Con poderes mágicos
Blanca Nieves										
Madrastra de Blanca Nieves										
Príncipe										
Caperucita										
Lobo feroz										
Hada madrina										
Enanito gruñón										

¿Por qué en un cuento siempre hay un personaje muy bueno y uno muy malo?, ¿todas las hadas son buenas?, ¿los personajes buenos nunca cometen errores?, ¿los malos siempre quieren matar a alguien?, ¿quiénes tienen poderes mágicos y cuándo los usan?

Intercambia cuentos con otros equipos y comenten en qué se parecen los personajes de diferentes cuentos y por qué.

Los estereotipos

Un estereotipo es una imagen, idea, gesto, acción o palabra que la sociedad acepta como si fuera un molde o algo que no cambia. Un estereotipo resulta útil para describir personajes de cuentos pues sólo con mencionar "princesa" o "bruja" el lector imagina muchas características como: belleza o fealdad, riqueza o pobreza, bondad o maldad. Sin embargo, en la vida real la gente no es totalmente buena ni totalmente mala, no siempre la belleza va unida a las virtudes, ni la riqueza determina la bondad o maldad. Comenta algunos estereotipos de personajes de la vida real como: políticos, jóvenes, actrices, policías.

Con tu grupo, haz una lista con características estereotípicas de los distintos personajes de los cuentos que leyeron: princesas, príncipes, madrastras o reinas malas, hadas, lobos o monstruos, brujas, padres. Escriban las características de los principales personajes de cuentos de hadas en hojas de rotafolio y péguenlas en un lugar visible durante el proyecto.

Comenta con tu grupo si los anteriores personajes de cuento se parecen en la vida real a las personas y por qué.

Lee el siguiente argumento de obra teatral:

El príncipe rana

Primer acto

Una princesa camina alegre por el bosque primaveral hasta que llega a la orilla de una pequeña laguna. De pura alegría se pone a brincar, perdiendo su anillito de oro, que cae al agua. De ésta surge una rana que le ofrece retornarle la preciada joya si le promete realizar tres deseos que va a pedirle. La Princesa acepta, aunque no piensa cumplir con su palabra, y la Rana se sumerge y le devuelve el anillito.

Cuando ésta le pide que realice el primer deseo, la Princesa se niega y parte apresurada para su castillo donde vive con su padre, el Rey.

Segundo acto

Ya en el castillo y en presencia del Rey, la Rana aparece dando saltos y exigiendo el cumplimiento de los tres deseos. La Princesa sigue negándose, pero el Rey le dice que lo que se promete hay que cumplirlo. Finalmente, la joven accede, aunque se niega nuevamente a cumplir con el tercer deseo, que es darle un beso a la Rana.

El Rey insiste, y ella se resigna. Al darle el beso, la Rana se transforma en un apuesto príncipe. Ambos se besan y se abrazan, enamorados.

Ahora, lee el primer acto de la obra escrita en verso.

El príncipe Rana

Personajes
  La princesa
  La rana

Primer acto
Un rincón de un bosque, con un espejo de agua en un costado, y con fondo de árboles y matorrales, además de numerosas flores.

Princesa *(Entra a escena muy alegre)*
¡Qué radiante la mañana
y qué bosque encantador!
¡Vuelan y ríen las aves,
las flores lucen al Sol!

Camina por la escena hasta que descubre el espejo de agua.

Una pequeña laguna
desde aquí veo brillar:
¡yo quiero en su espejo de agua
ver mi rostro reflejar!

Se inclina hacia la pequeña laguna, y se observa muy coquetamente.

¿Habrá alguna más hermosa?
¿Alguien me podrá igualar?
¡Aunque soy una princesa
me dan ganas de brincar!...

Salta alegremente a la orilla de a laguna, y de pronto se paraliza y exclama:

¡Ay, ay, mi precioso anillo!
¡Ay, ay, mi anillito de oro!
Al brincar se me ha caído
la joya que más adoro.
¡Devuélveme, lagunita,
ese precioso tesoro!

Rana *(Apareciendo de improviso desde detrás de un matorral a un costado de la laguna. Lleva sobre su cabeza una pequeña coro-na dorada).*

¿Acaso quieres tu anillo?...

La Princesa asiente.

Tendrás que hacer la promesa
de cumplir mis tres deseos
con palabra de princesa.

Primero: llevarme en brazos
hasta la mesa, al cenar.
Después: comer de tu plato;
y al fin me habrás de besar.

Princesa
Está bien, verde ranita;
lo que pidas yo he de hacer...

(Aparte)
...promesa hecha a una rana,
¿qué valor puede tener?

Rana *(Desaparece detrás de unos matorrales, en los que se zambulle, como si se arrojara a la laguna. Poco después reaparece, llevando el anillito de oro).*

De la laguna he sacado
tu anillito de princesa.
Tómame ahora en tus brazos
para cumplir la promesa.

Princesa
¡Qué rana más pretenciosa!
Sería cosa muy rara
que en brazos de una princesa
una rana se paseara.

Se atenúan las luces hasta apagarse por completo, o, sencillamente se apagan repentinamente, indicándose así el fin de este primer acto.

Fin del primer acto

Felder, Elsa Nelly y Rodríguez Felder, Luis Hernán, *Obras de teatro infantil*. Buenos Aires, Grupo Imaginador de Ediciones, 2005, págs. 5-10.

Aunque esta obra está escrita en verso, gran cantidad de obras se escriben en prosa. ¿De qué trató el primer acto que leíste?, ¿dónde ocurren los hechos?, ¿por qué se necesita saber qué decorado y utilería se requieren para una obra?

El primer acto tuvo sólo dos personajes. ¿Cómo son?, ¿qué características tiene cada uno?

Analiza cada una de las partes del anterior guión.

¿Cómo sabes qué personaje debe intervenir en cada momento?

¿Cómo sabes qué acento deben dar a su tono de voz?

¿Cómo sabes qué acciones ejecutan los actores?

¿Cómo están escritas las *acotaciones*, esto es, lo que está escrito en el guión pero no se dice, sólo se ejecuta?

¿Dónde podrían colocarse *efectos especiales*?

Segundo acto

Las obras se pueden dividir por escenas cuando cambia el escenario en que ocurren. Como ejercicio, pueden escribir por equipos el segundo acto de la obra "El príncipe rana". ¿Dónde ocurre?, ¿qué personajes participan en él?, ¿qué parlamentos usará el rey para convencer a la princesa de besar a la rana?, ¿qué les dirá la rana al rey y a la princesa? Escríbanlo en prosa o en verso, y no olviden señalar quién habla y usar acotaciones. Denle formato de obra de teatro.

Comparen su trabajo con otros equipos.

De película

Consigan una película de un cuento de hadas tradicional para verla en clase o en casa. Pongan especial atención en los diálogos o parlamentos de los personajes, las intenciones que dan a la voz (alegría, sorpresa, enojo, tristeza), los desplazamientos en el escenario y, sobre todo, en las características de cada personaje.

Fichero del saber

Una forma muy efectiva de dar a los parlamentos la intención adecuada es utilizar algunos signos de puntuación… ¿Sabes cuáles? ¡Claro! ¡Los signos de interrogación y de exclamación!

Haz la ficha correspondiente para cada uno de estos signos tan útiles que dan entonación a nuestras oraciones y anoten tres ejemplos en cada caso.

A jugar *sin* las palabras

¡Jueguen mímica! Cada uno de ustedes, anote un personaje que todos conozcan o una acción que se deba ejecutar; por ejemplo: "Madrastra de Cenicienta" o "morder una manzana envenenada".

Mezclen los papeles en una bolsa y ¡a jugar!; elijan a alguien para que pase al frente y tome un papel que tenga anotado lo que deberá representar sin decir una sola palabra; sólo con mímica. El resto del grupo intentará adivinar la acción o personaje que está escrita en el papel. Levanten la mano para decir en orden la respuesta; ganará el que adivine más veces.

Al finalizar la película, hagan una lista con los personajes principales y anoten las características de cada uno.

Además de los personajes principales (protagonistas y antagonistas), una obra tiene personajes secundarios que aparecen para ayudar o entorpecer a otros personajes, o bien, unos que proporcionan informes sobre los acontecimientos o que dan agilidad a la obra por sus chistes, torpezas, obsesiones.

Un nuevo cuento

Entre todo el grupo propongan ideas para un nuevo relato en que intervengan algunos de los personajes prototípicos de los cuentos de hadas (bruja mala, hada buena, princesa bondadosa). Para la trama, tomen ideas de los cuentos que han leído. ¿Qué objetivo desean conseguir los personajes?, ¿cómo lo realizarán?, ¿quiénes impedirán o pondrán obstáculos?, ¿cómo se resolverá?

Pueden cambiar el escenario en donde sucede (en lugar de bosque, selva; en lugar de pueblo, ciudad); también el tiempo en que ocurre podría ser distinto. Piensen qué objetos y adaptaciones tendrían que hacer según el tiempo y el espacio en que ubiquen su obra.

Escriban un esquema general del argumento, que incluya la descripción de acontecimientos, personajes, espacio y tiempo. Es muy importante que se definan las características de cada personaje para que sean siempre iguales de principio a fin de la obra.

Revisen en grupo el argumento: presentación, nudo, desenlace, tratando de que quede claro cuál es el escenario de cada momento de la historia. A cada uno de los momentos se le llama *escena*.

El argumento de "El príncipe rana" está dividido en dos actos. Dividan en los actos necesarios el argumento de su cuento. Hagan una lectura general para corroborar el orden entre los distintos momentos del argumento.

El guión de teatro escena por escena

Cada equipo escriba uno de los actos de la obra. Para darse una idea, revisen el guión de teatro de "El príncipe rana". Al escribir su escena, consideren:

- ¿Qué personajes participan en esa escena?
- ¿Qué escenario, qué objetos y utilería necesitan?
- ¿Que ruidos deben escucharse? ¿Debe estar todo en silencio?
- ¿Qué personaje entra y cómo se marca el inicio de su parlamento?
- ¿Cómo se anotan las acotaciones: tono de voz, vestuario, actitudes o movimientos que debe hacer?

Les sugerimos no utilizar parlamentos largos, sino diálogos cortos entre personajes, que pueden incluir chistes, dichos, adivinanzas, equívocos, enredos. Esto dará más agilidad y gracia a la obra.

El guión completo

¿Ya tienen listo el acto de la obra que les tocó escribir? Es momento de revisarla en grupo.

Organícense de manera que queden en orden según la escena que cada equipo leerá. El objetivo es hacer la lectura dramatizada de la obra completa.

Como es la primera vez que conocen toda la obra, seguramente harán muchos ajustes: escribirán nuevos diálogos, borrarán otros y habrá nuevas acotaciones. Atiendan las sugerencias de todo el grupo para que la obra quede lo mejor posible.

Identifiquen y corrijan errores entre escenas. Cada equipo de autores de esa parte del guión agregará o eliminará lo que sugiera el grupo. Pasen en limpio el texto. No olviden utilizar acotaciones, signos de interrogación y exclamación, y utilicen el diccionario siempre que tengan duda. Hagan varias copias.

Producto final

Con ayuda de su maestro, distribuyan a algunos alumnos los personajes de la obra.

Otros alumnos que no lean parlamentos, asesorarán la lectura y ejecutarán los efectos especiales para dar más viveza a la obra. Pueden preparar fondos musicales para la entrada de personajes.

Otros más prepararán anuncios para invitar a otros grupos a que asistan a la lectura dramatizada de la obra. Recuerden lo que deben tener en cuenta para hacer un buen anuncio, pueden consultar en el proyecto del bloque I.

Otros elaboren los programas de mano: hojas donde está escrito el nombre de la obra, su grupo como autor colectivo, los personajes que intervienen, la fecha y hora de presentación. En la carátula hagan un dibujo alusivo a la obra; anoten también el nombre de la escuela.

Piensen a qué grupo de la escuela le puede interesar la obra, en función de la trama y la edad de los niños. Acuerden con su grupo la fecha, hora y lugar donde harán la lectura dramatizada.

El día de la presentación de la lectura dramatizada de la obra de teatro: coloquen sillas para los espectadores y entreguen los programas de mano.

Mientras se acomodan los invitados, se da la primera llamada. La segunda llamada se hará mientras los personajes se acomodan al frente. Una vez que todos estén listos se anuncia: "¡Tercera llamada! ¡Comenzamos!"

Logros del proyecto

Soliciten comentarios de los espectadores que asistieron a escuchar la lectura en que participaste. Después, platiquen en grupo cómo se sintieron durante la lectura.

Den su opinión sobre el guión, la lectura dramatizada, los efectos especiales, la música, los carteles y las invitaciones de mano.

¿Les gustó la obra? ¿Qué hubieran modificado, eliminado o agregado para una segunda representación?

Autoevaluación

Es tiempo de revisar lo que has aprendido después de trabajar en este proyecto. Lee cada enunciado y marca con una palomita (✓) la opción con la cual te identificas.

	Lo hago muy bien	Lo hago a veces y puedo mejorar	Necesito ayuda para hacerlo
Conozco el formato de los guiones de teatro.			
Identifico las características de un personaje a partir de su descripción.			
Leo con entonación y claridad los parlamentos.			

Marca con una palomita (✓) la opción que diga la manera como realizaste tu trabajo:

	Siempre	A veces	Me falta hacerlo
Colaboro en la lectura dramatizada de una obra de teatro.			
Aporto al grupo mis comentarios e ideas.			

Me propongo mejorar en : _____

_____

Ámbito: Participación comunitaria y familiar

PROYECTO: Hacer un menú

El propósito de este proyecto es que elabores menús nutritivos que respondan a las necesidades particulares de diferentes personas. Reflexionarás acerca del propósito y relevancia de la información como punto de partida para la toma de decisiones.

Para este proyecto necesitarás:

- etiquetas con información nutrimental
- gráfico del Plato del Bien Comer

Lo que conozco

Hasta ahora has trabajado en diferentes proyectos investigando sobre aspectos relacionados con la salud y la buena alimentación. Y en este proyecto continuarás con este tema importante. Como aconseja el dicho mexicano: ¡a darle, que es mole de olla!

Comenta con tus compañeros lo que sabes sobre una alimentación correcta, si consideras que te alimentas adecuadamente, y si no es así, cómo puedes mejorar tu alimentación.

Una comida muy mexicana

El acto de comer es, ante todo, una práctica cultural que depende de diversos factores: sociales, geográficos e históricos. La comida tradicional mexicana constituye un logro de grandes alcances, debido a que un gran número de productos que hoy todavía se consumen constituyeron la base de la dieta prehispánica; por lo tanto, sus sabores, olores, colores y texturas son expresión de múltiples manifestaciones religiosas, artísticas y familiares, entre otras.

El 16 de noviembre de 2010, la Organización de las Naciones Unidas para la Educación, la Ciencia y la Cultura (UNESCO) declaró como patrimonio cultural intangible de la humanidad a la cocina mexicana.

El origen de ésta se remonta al México prehispánico con el uso del maíz, el frijol y el chile a los que se les aunaron otros ingredientes animales y vegetales provenientes de vastas regiones que tiene nuestro país.

Con la llegada de los españoles, también llegaron sus ingredientes y sus recetas, que se mezclaron con las de los antiguos mexicanos, dando nacimiento a la cocina mexicana. Algunos de los platillos que se crearon a partir de esta fusión, aún se preparan y forman parte de la gran variedad de guisados que enriquecen nuestra mesa.

La cocina de nuestro país es considerada como una de las más ricas y variadas del mundo y, además, se le reconoce por su alto valor nutrimental, porque integra, en las porciones adecuadas, ingredientes de todos los grupos alimenticios necesarios para el buen funcionamiento del cuerpo humano. Por esa razón muchos de esos guisos son adecuados para personas con requerimientos nutrimentales específicos, como: enfermos, bebés, deportistas, mujeres embarazadas, niños, adultos, ancianos, etcétera; siempre y cuando la dieta sea indicada por un especialista en nutrición.

La tradición, la historia y el valor nutritivo de nuestra comida deben conservarse, y qué mejor manera de hacerlo que tomando decisiones acertadas respecto a lo que preparamos para comer, ¿tú, qué piensas?

La riqueza de nuestra comida

Si te fijas en los ingredientes que contienen los platillos que comemos, te podrás dar cuenta de lo importante que es la biodiversidad, ya que las plantas y los animales nos proporcionan las materias primas que se emplean para cocinar. La cocina mexicana es tan variada porque México es un país megadiverso. ¿Sabes qué quiere decir la palabra megadiverso? Investígalo y escríbelo en tu cuaderno; explica cómo contribuye esta condición a la variedad y riqueza de la comida mexicana. También elabora una lista de productos alimenticios originarios de México que sean aportaciones para la gastronomía mundial. Te damos algunos ejemplos: el cacao, la vainilla y el maíz.

Ahora toma algunas notas que te serán útiles para que, posteriormente, puedas consultarlas en el momento de decidir qué platillos incluirás en tu menú.

Pon atención en la exposición que hará el maestro respecto al Plato del Bien Comer, de los tres tipos de alimentos necesarios para tener buena salud.

Al mismo tiempo que tu maestro expone y explica, toma notas de lo que te parezca más importante.

Atiende y toma apuntes

Tomar apuntes tiene muchas ventajas, pues equivale a estudiar y repasar la lección, a estar atento para comprender los contenidos y valorar si se está comprendiendo el tema. Favorece el recuerdo de la información y mantiene a los alumnos activos durante la clase.

Para tomar apuntes en ésta y en todas las asignaturas, considera las siguientes recomendaciones:

- Durante la exposición es necesario que permanezcas en silencio y escuchando las explicaciones del maestro o compañero que exponga.
- Es importante que desde el principio estés atento, porque es cuando se menciona con claridad el tema que se tratará y se habla del contenido de lo que se va a exponer; el final también es un momento clave, porque en él se da un resumen o las conclusiones.
- No se trata de anotar todo lo que dice el maestro. Intenta explicar con tus palabras y con claridad las ideas principales. Lo que sí debes apuntar con exactitud son los nombres, fechas y definiciones.
- Pon especial atención cuando el maestro diga frases como: "esto es muy importante...", "viene en el examen...", "en conclusión...", "pongan atención en...", "lo que deben aprender es..."; esta información no debe faltar en tus notas. Destácala de alguna forma: subráyala, resáltala con colores, pon una pestaña en esa página, en fin, haz que sobresalga en tus notas.
- Si pierdes el hilo de la exposición, no te detengas, deja un espacio en blanco y sigue escribiendo. Después pregunta a tus compañeros o al maestro la información faltante y escríbela en el espacio que dejaste.
- Subraya las palabras que no entiendas o desconozcas para que posteriormente busques su significado y las integres a tu diccionario.

- En tus notas puedes incluir diagramas, tablas de datos, cuadros sinópticos o mapas mentales y de conceptos.
- Utiliza abreviaturas y símbolos. Debes tener cuidado de emplear siempre los mismos.
- Trata de que tus notas y apuntes sean claros y limpios desde el principio; si no fue posible, entonces pásalos en limpio para que sean un material útil para estudiar.

A la mejor cocinera se le ahuma la olla

Después de tomar las notas y apuntes de lo que expuso tu maestro respecto del Plato del Bien Comer, compara tu trabajo con el de tus compañeros para mejorarlo y enriquecerlo.

- Elijan a un compañero para que pase al pizarrón y escriba sus notas, y elaboren preguntas sobre lo que se expuso para cerciorarse de que el apunte recogió esa información. Valoren qué información es importante y cuál no.
- Después comenten qué información contiene y cuál hace falta.
- Revisen la ortografía y la puntuación, y completen y corrijan las notas del pizarrón.

¡A jugar con las palabras!

En Los Altos de Jalisco, como en otras muchas partes de nuestro país, el maíz es el grano con el que se preparan gran variedad de platillos. Existen algunas adivinanzas para éstos y otros alimentos, así como para los objetos de cocina que se utilizan para prepararlos; te presentamos algunas. Juega con tus compañeros tratando de adivinar.

En un llano muy parejo
hay cuatro vacas,
unas echadas
y otras paradas.
(Las tortillas)

Allá en un llano
está uno sin sombrero,
tiene barbas, tiene dientes
y no es un caballero.
(El elote)

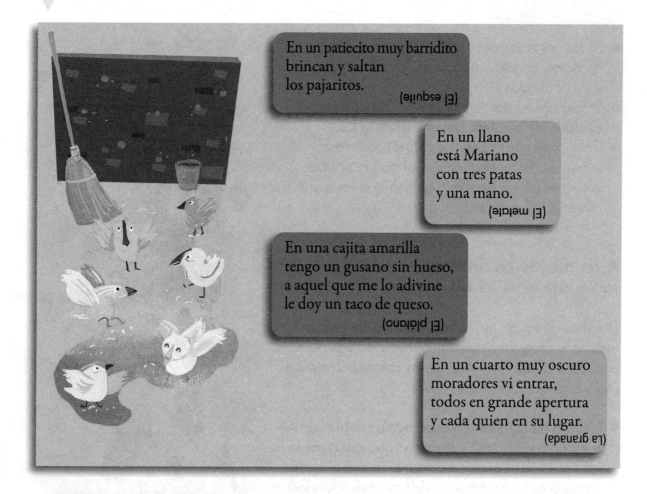

En un patiecito muy barridito
brincan y saltan
los pajaritos.

(El esquite)

En un llano
está Mariano
con tres patas
y una mano.

(El metate)

En una cajita amarilla
tengo un gusano sin hueso,
a aquel que me lo adivine
le doy un taco de queso.

(El plátano)

En un cuarto muy oscuro
moradores vi entrar,
todos en grande apertura
y cada quien en su lugar.

(La granada)

Con seguridad conoces otras adivinanzas que se cuentan en tu comunidad. Compártelas o inventa algunas acerca de los alimentos que acostumbras comer.

Identifica alimentos nutritivos

En esta actividad podrás recabar información para determinar cuáles son los alimentos más nutritivos y convenientes de ingerir. Esto te permitirá elaborar de manera correcta tu menú.

Lleva al salón de clases algunas etiquetas que vienen en los empaques de los alimentos.

En equipos revisen las etiquetas, y anoten en su cuaderno los nutrimentos que contiene cada una. Pongan atención en las cantidades que señalan el aporte calórico por porción y por el total de porciones de cada paquete. Elaboren una tabla de datos.

Información Nutrimental	
Tamaño por porción 30 g (1 pieza) Porciones por paquete 1	
Cantidad por porción	
Cantidad energética	135 kcal
Grasas (lípidos) del cual:	5.4 g
Grasa saturada	4.1 g
Grasa monoinsaturada	1 g
Grasa poliinsaturada	0.3 g
Grasas trans	0 g
Colesterol	0 mg
Sodio	70 mg
Carbohidratos totales	20 g
Proteínas	1.5 g
	% IDR*
Vitamina B$_{12}$	8%
Ácido fólico	14%
Hierro	13%
* INGESTA DIARIA RECOMENDADA PARA LA POBLACIÓN MEXICANA.	

Localiza en qué parte del Plato del Bien Comer se encuentra cada alimento de los mencionados en las etiquetas y qué nutrimentos contiene.

Determina diferencias entre los alimentos industrializados –como pastelillos y postres– y los del Plato del bien comer –como frutas y verduras–. ¿Cuáles tienen una mayor cantidad de grasas?

Platica con tu grupo cuáles son tus platillos favoritos, trata de explicar cómo se preparan y qué ingredientes tienen, también di si es un platillo balanceado de acuerdo con el Plato del Bien Comer.

¡A jugar con las palabras!

Cuando hables ante el grupo recuerda que "al hablar, como al guisar, hay que ponerle un granito de sal"; esto significa que debes hacerlo de tal manera que a tus oyentes no les parezca aburrido. Al hablar puedes hacer énfasis en algunas frases como "¡es un platillo delicioso!" o hacer preguntas a quien te escucha para despertar su interés, como "¿han probado este platillo tan especial?" ¡Inténtalo!, ¡hablar con un poco de sal es divertido!

Comenta con tu grupo el significado de las siguientes frases de la sabiduría popular referentes a la comida.

- "A cada uno le toca escoger la cuchara con la que ha de comer."
- "Comer sin trabajar no se debe tolerar."
- "Desayuna como rey, come como príncipe, cena como mendigo y vivirás."
- "El padre de toda enfermedad puede ser un virus, pero la madre de las enfermedades es una mala alimentación."
- "El dinero mejor gástalo en la cocina y no luego en medicina."
- "Hay que comer para vivir y no vivir para comer."

Para hacer tu menú analiza las características y el formato de otros que hayas visto.

La palabra *menú* implica una elección entre un conjunto de posibilidades. Dicha palabra se utiliza en muchos casos, por ejemplo, en informática para indicar una ventana de un programa en el que hay muchas opciones para realizar varias acciones. En la gastronomía también se utiliza esta palabra. ¿Podrías definir en qué casos y cómo se usa? Comenta en grupo.

A buscar

Lleva al salón varios menús gastronómicos. Compáralos y comenta qué información proporcionan unos y otros, cómo la organizan, qué semejanzas y diferencias encuentras entre ellos.

Observa la forma en que están escritos los menús, qué tipo de letra tienen, qué colores o ilustraciones.

Comenta en grupo por qué crees que los menús se presentan de esa forma y cómo harías uno. Selecciona los que más te gustaron y que contengan la información que consideres más importante.

Un dato interesante

Michael Phelps, nadador estadounidense y ganador de ocho medallas de oro en los Juegos Olímpicos de Pekín 2008, consume 10 000 calorías diariamente, las necesarias para alimentar a cinco hombres adultos. Michael necesita consumir grandes cantidades de carbohidratos, pues como deportista de alto rendimiento, quema mil calorías por hora durante sus entrenamientos de ocho horas diarias.

Una alimentación correcta

Organízate con tu equipo e investiga cuáles son los alimentos, cantidades y nutrimentos que se necesitan en cada uno de los siguientes casos:

- Para mantenerse en el peso ideal
- Para subir de peso
- Para deportistas de alto rendimiento
- Para una mujer embarazada
- Para un niño

Comenta con tus compañeros la importancia de tener una dieta correcta y las consecuencias de no alimentarse adecuadamente.

Con base en el Plato del bien comer y en la información que investigaste, reúnete con un compañero y elaboren un menú adecuado para un niño. Incluyan las tres comidas y dos refrigerios o bocadillos; recuerden incluir diariamente entre 6 y 8 vasos de agua. El menú debe tener las características de una dieta correcta que favorezca tu sano crecimiento y desarrollo.

Ahora, en forma individual, elabora un menú para toda la semana empleando los platillos nutritivos que tus compañeros incluyeron en sus menús. Utiliza la siguiente tabla:

	Desayuno	Refrigerio	Comida	Refrigerio	Cena
Lunes					
Martes					
Miércoles					
Jueves					
Viernes					
Sábado					
Domingo					

Expongan sus menús al grupo y expliquen por qué consideran que incluyeron platillos balanceados.

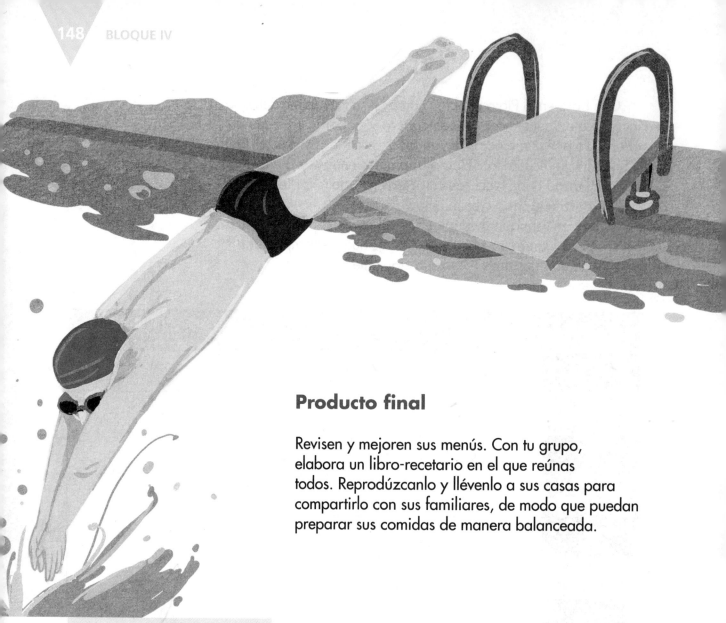

Producto final

Revisen y mejoren sus menús. Con tu grupo, elabora un libro-recetario en el que reúnas todos. Reprodúzcanlo y llévenlo a sus casas para compartirlo con sus familiares, de modo que puedan preparar sus comidas de manera balanceada.

Logros del proyecto

Comenta lo siguiente con tus compañeros:

● ¿Lograste elaborar un menú de alimentos, en el que se organizan los datos a través de categorías?
● A partir de este menú, ¿pudiste tomar decisiones adecuadas acerca de tu alimentación?

Autoevaluación

Es tiempo de revisar lo que has aprendido después de trabajar en este proyecto. Lee cada enunciado y marca con una palomita (✓) la opción con la cual te identificas.

	Lo hago muy bien	Lo hago a veces y puedo mejorar	Necesito ayuda para hacerlo
Tomo notas de la información principal que proporciona un texto.			
Organizo adecuadamente la información en tablas y cuadros.			
Elaboro un menú a partir de la información investigada.			

Marca con una palomita (✓) la opción que diga la manera como realizaste tu trabajo:

	Siempre	A veces	Me falta hacerlo
Escucho y respeto la opinión de mis compañeros.			
Colaboro en las actividades que se me han asignado.			

Me propongo mejorar en : _____

Evaluación del bloque IV

Es tiempo de que revises lo que has aprendido después de trabajar en este bloque. Lee cada enunciado y subraya la opción que consideres correcta.

1. Una característica del texto expositivo es:

    a) Utiliza un lenguaje literario que motive la imaginación.

    b) Expresa las ideas con objetividad, claridad y orden.

    c) Ofrece la opinión personal basada en la experiencia sin argumentar.

    d) Comunica sentimientos diversos.

2. El artículo de divulgación utiliza tablas de datos e ilustraciones para:

    a) Ofrecer un apoyo a lo que expone el texto.

    b) Ocupar más espacio en la revista o periódico.

    c) Identificar un punto de vista divergente.

    d) Resolver dudas.

3. Los temas de un artículo de divulgación suelen ser:

    a) Sobre plantas y animales.

    b) Sentimientos variados.

    c) Recomendaciones de libros.

    d) Cualquier tema científico que sea de actualidad y que interese al público.

4. *Blanca Nieves, La Bella Durmiente del Bosque y Cenicienta*, recurren en su narración a:

    a) Coplas campiranas.

    b) Leyendas históricas.

    c) Personajes estereotipados.

    d) Personajes históricos.

5. Los signos de exclamación e interrogación se utilizan para:

    a) Describir las características de los personajes.

    b) Dar énfasis al parlamento que leerá el personaje.

    c) Identificar qué escena y parlamento sigue.

    d) Organizar las ideas de los personajes

6. En una etiqueta nutricional de un producto alimenticio podemos encontrar:

   a) Las cantidades y valores nutricionales del producto.

   b) La procedencia de los ingredientes del producto.

   c) Información sobre la fabricación del producto.

   d) Instrucciones para elaborar el producto.

7. Para conocer qué menú debe tener una mujer embarazada o un adulto mayor, lo más recomendable es consultar:

   a) Diccionarios.

   b) El Plato del Bien Comer.

   c) Revistas y libros sobre el cuidado de la salud.

   d) La opinión de alguna vecina.

8. El Plato del Bien Comer sirve para:

   a) Conocer qué alimentos deben consumirse y en qué proporciones.

   b) Tomar uno solo de los ingredientes e inventar un platillo.

   c) Elaborar listas de alimentos.

   d) Identificar las formas de preparar platillos.

9. Elabora un pequeño texto en el que expongas lo más importante de lo aprendido en los tres proyectos de este bloque. Cuida tu redacción y ortografía.

_____

_____

_____

_____

_____

PROYECTO:

Describir personas por escrito con diferentes propósitos

El propósito de este proyecto es que identifiques las características de la descripción para que posteriormente describas a algunas personas con diferentes propósitos.

Para este proyecto necesitarás:

- textos que contengan descripciones de personas (novelas, cuentos, poemas, noticias, textos científicos)
- ilustraciones o fotografías de personas

Lo que conozco

Comenta con tus compañeros: ¿en qué textos has leído descripciones de personas?, ¿por qué crees que sea importante describir a una persona lo más detalladamente posible?

Pintar con palabras

Generalmente, cuando narramos algún acontecimiento, describimos personas; es decir, usando el lenguaje referimos o explicamos sus características físicas, sus cualidades y la situación en que se encuentran.

Las narraciones, los poemas y las noticias utilizan descripciones de personas, lugares y objetos; hacen, con palabras, un retrato tan real que parece que "pintaran" los detalles y las características de lo que se describe.

Si la historia en la narración se desarrolla como un proceso temporal, el contenido de la descripción detiene el transcurso del tiempo para observar los detalles de un objeto, una persona o un entorno como si se tratara de una pintura.

La descripción dentro de una narración pareciera detener el tiempo en que suceden los hechos, para observar detalles de un objeto, de una persona o del entorno. Por eso, la descripción no aparece aislada, sino casi siempre está *tejida* dentro de la narración.

Lee en voz alta el siguiente texto e identifica junto con tus compañeros, los fragmentos narrativos y los fragmentos descriptivos. Después, comenta qué es lo que se menciona en cada uno.

Lee las siguientes descripciones:

Papá Aurelio

Desde el pie del centenario eucalipto, veo la huerta de aterciopelados membrillos y a mi abuelo que me trae uno entre sus manos fuertes y grandes. Al mismo tiempo que camina hacia mí, frota el membrillo sobre su pantalón para quitarle la pelusa que lo cubre. Cuando ha terminado de deshacerse de ella, lo adereza con carbonato y limón con tanta delicadeza, que parece que sus manos no están callosas y cansadas por el arduo trabajo de campo.

Cuando Papá Aurelio ve que, después de haber mordido aquel fruto el escalofrío recorre mi cuerpo porque el delicioso espumarajo del limón y carbonato se me ha subido a la nariz, se ríe mostrando unos dientes grandes como los granos de una mazorca madura recién cortada, le brillan los ojos verdes como cuando el Sol ilumina al atardecer el agua que bebe el ganado. Él siempre ha sido como un chiquillo retozón atrapado en un cuerpo que parece un enorme ropero porfiriano de roble.

Sus dos perros, a los que quiere tanto, llegan ladrando y mordiéndose la oreja. Juguetean con un canasto hasta que pasa volando una mariposa y se alejan, persiguiéndola; los llamamos con un silbido para que regresen junto a nosotros.

Mi abuelo me toma de la mano y me lleva a sentarme sobre una cerca de piedras negras y redondas desde donde lo veo alejarse con su sombrero de faena y con pasos tan grandes como sus enormes y largas piernas se lo permiten. Corro tras él, tengo algo que decirle. Cuando lo alcanzo, me levanta muy alto, hasta que mis pies cuelgan y mis ojos quedan a la altura de su bigote espeso, blanco y de puntas retorcidas saliéndole de las mejillas coloradas. Tomo con mis manos el cuello de su chaqueta de ranchero, recorro con mis ojos su cara llena de caminos de arruguitas y arrugotas, y le digo muy quedito: ¡Te quiero, Papá Aurelio!

Erika Margarita Victoria Anaya

Fichero del saber

Anota en una ficha las características de los textos narrativos y en otra las de los textos descriptivos. Incluye ejemplos para ambos casos. Comenta con tus compañeros, a manera de conclusión, qué es lo que diferencia a un texto del otro.

La duquesa Job

Ágil, nerviosa, blanca, delgada
media de seda bien restirada,
gola de encaje, corsé de ¡crac!,
nariz pequeña, garbosa, cuca,
y palpitantes sobre la nuca
rizos tan rubios como el cognac.

Sus ojos verdes bailan el tango,
¡nada más bello que el arremango
provocativo de su nariz!
Por ser tan joven y tan bonita,
cual mi sedosa, blanca gatita,
diera sus pajes la emperatriz.

Gutiérrez Nájera, Manuel, *Antología del modernismo*
(fragmento). México,
UNAM/Era, 1999, pág. 11.

Comenta con tus compañeros y profesor las semejanzas y diferencias que existen entre las diferentes descripciones

A buscar

Busca algunos textos que incluyan descripciones de personas. Pide ayuda a tu maestro, a un bibliotecario o a tu familia. Puede ser en un cuento, en un poema, en una nota periodística o en un texto científico. Si no es posible que consigas otras descripciones, puedes trabajar con las que ya leíste.

En equipo seleccionen una descripción y léanla detenidamente, poniendo especial atención en el tipo de palabras que se utilizan y en su significado.

¿Pueden saber para qué se describe a esa persona en el texto? Comenta tu punto de vista.

Anota lo que se concluya en tu equipo y organiza la información en una tabla de datos como la siguiente. Modifícala de acuerdo con tus necesidades.

Fernangrana

Era Enrique Fernández Granados un manojo de nervios encarnado en un hombre de elevada estatura, sanguíneo, aunque sin corpulencia, con el pelo crespo de color rojo, cual si su cabellera formada estuviese por delgados alambres de cobre, encendidos por una corriente eléctrica…

Sus pupilas eran de transparencia amarillenta, un poco saltonas como cuentecillas de cornalina, chispeantes cuando se exaltaba, lo cual era cosa fácil.

Anchísima la abultada frente, regulares las facciones, pequeño el cobrizo bigote, oscurecidos en sus ápices por el humo del cigarrillo, continuamente trasladado de la pecosa mano a la boca por obra del movimiento automático del brazo largo del versista.

Ceballos, Ciro B., *Panorama mexicano*

1890-1910.
México, UNAM, 2006, pág. 394.

Texto	Tipo de palabras o frases que emplea	Función de la descripción	Ejemplos
Poema	Usa palabras en sentido figurado.	Decir cómo son las personas, los objetos, los paisajes, para despertar sentimientos en quien lee.	… tus ojos de niño mirar. … en el caracol de tu oreja. … tus manos de fuego.
Novela o cuento			
Noticia			
Texto científico			

¡A jugar con las palabras!

¡Elabora las más inverosímiles y graciosas descripciones!

Haz una lista de palabras que pertenezcan al mismo campo semántico (si no sabes qué significa, investígalo y haz la tarjeta para el Fichero del saber), puede ser de animales, profesiones u objetos. Ahora escribe cada palabra en una tarjeta.

Recorta las tarjetas de tal manera que dividas las palabras a la mitad. Colócalas con lo escrito hacia abajo y revuélvelas.

Selecciona dos tarjetas y voltéalas, júntalas para formar una palabra nueva.

Trata de hacer un dibujo y una descripción del objeto, animal o profesión que resultó al unir las dos tarjetas.

Ejemplo: con una parte de la palabra mochila y una parte de la palabra cuaderno, formas *mochiderno*: objeto rectangular con tirantes para colgar; sus paredes están hechas de un conjunto resistente de hojas en las que se pueden escribir los apuntes y tareas escolares. Es principalmente un recipiente en el que se pueden cargar golosinas y juguetes en lugar de cuadernos.

Diferentes formas de describir

La descripción es un recurso que aparece en cualquier tipo de texto: científico, literario, periodístico, informativo. En ellos, la descripción tiene características particulares puesto que cumple una función específica en cada uno.

- La descripción *técnica* muestra las características de los objetos, personas o hechos de manera clara, objetiva, directa y real haciendo uso del lenguaje denotativo para proporcionar información.
- En una descripción *objetiva* el autor intenta no evidenciar sus sentimientos o emociones y trata de reflejar las cosas tal como son. Descripciones de ese tipo las puedes encontrar en los documentales científicos.
- En una descripción *subjetiva*, en cambio, puedes reconocer sentimientos y emociones del autor; suele ser más poética, utiliza comparaciones y metáforas.
- La descripción *literaria* utiliza el lenguaje subjetivo y figurado, en el que se hace uso de metáforas, símiles y comparaciones para retratar lo que se describe (si no recuerdas qué es un símil o metáfora, consulta tu Fichero del saber). En este tipo de descripción predomina la función de despertar sensaciones y sentimientos a partir de la belleza con que se emplean las palabras.

Lee nuevamente las descripciones anteriores y comenta en grupo cuáles son descripciones técnicas y cuáles son descripciones literarias. En la tabla que elaboraron, agrega otra columna en la que señales qué tipo de descripción contiene cada texto.

Palabras para describir

Revisa otros textos y localiza descripciones de personas. Comenta cuáles son técnicas y cuáles son literarias. Menciona en cuáles se utilizan más adjetivos calificativos y adverbios, y con qué finalidad se emplean estas palabras en cada una de las descripciones.

Escucha la descripción que hará tu maestro de una persona. Mientras escuchas, dibuja en una hoja lo que él va detallando. Al finalizar la descripción, compara tu dibujo con la ilustración que te mostrará.

¿Lograste que tu dibujo se pareciera a la ilustración?, ¿cuál es la importancia de mencionar los detalles en una descripción?

Para hacer una buena descripción es necesario poner atención en los detalles y emplear las palabras y adjetivos de manera correcta, para lograr que quien la lea o la escuche se forme una idea lo más fiel y completa posible de lo que se describe.

⬤⬤⬤ Consulta en...

Lee o escucha las narraciones que hacen algunos niños mexicanos en el libro de Araceli Aguerrebere, *Niños de México: un viaje. Fotografías de Lourdes Almeida*. México, SEP/ SM, 2005, que encontrarás en los Libros del Rincón de la Biblioteca Escolar. ¿Encontraste algunas descripciones?, ¿de qué tipo?

¡A jugar con las palabras!

Recorta de una revista o periódico la ilustración de una persona y divídela en dos partes.

Pega cada mitad en una hoja y entrégalas al maestro para que reparta a cada alumno una mitad.

No muestres a tus compañeros la ilustración que te tocó, descríbela de manera oral para que encuentres la mitad que la completa.

Describimos con distintas finalidades

Elige con tu grupo un libro en el que haya fotografías de niños. Organízate con un equipo y selecciona una fotografía de una niña o un niño, y describe imaginando los siguientes casos:

El niño o la niña es un personaje de un cuento o novela.

Se ha extraviado y su mamá lo ha descrito para hacer un retrato hablado que ayude a encontrarlo.

A ese niño o niña lo vas a describir en un poema de amor.

¿Cómo sería ese niño setenta años después?, ¿cómo lo describiría su nieto?

Antes de escribir, piensa en el efecto que quieres conseguir en quien lea tu descripción. Emplea adjetivos calificativos y adverbios, comparaciones y metáforas, según sea conveniente en cada caso.

Producto final

Elige la persona que describirás; todo el grupo debe conocerla, pero no digas ni anotes su nombre.

Recuerda que puedes hacer una descripción técnica o literaria.

Cuando todos hayan terminado, lee tu descripción cuando llegue tu turno y espera a que tus compañeros adivinen quién fue la persona que describiste.

Revisa y corrige la ortografía y la puntuación, e intercambia tu descripción con un compañero y revisa su texto. Sugiere a tus compañeros formas de mejorar sus descripciones.

Entre todos, seleccionen las descripciones que más les hayan gustado. Pasen en limpio las que eligieron para que se publiquen en el periódico escolar.

Logros del proyecto

● ¿Qué elementos usaron los compañeros que mejor describieron a la persona elegida?

● ¿Te reconociste en la descripción que hicieron de ti?

● ¿Por qué son importantes los detalles cuando describes personas?

Autoevaluación

Es tiempo de revisar lo que has aprendido después de trabajar en este proyecto. Lee cada enunciado y marca con una palomita (✓) la opción con la cual te identificas.

	Lo hago muy bien	Lo hago a veces y puedo mejorar	Necesito ayuda para hacerlo
Identifico la diferencia entre textos narrativos y textos descriptivos.			
Reconozco los diferentes tipos de descripciones.			
Uso adjetivos, verbos y adverbios para describir.			

Marca con una palomita (✓) la opción que diga la manera como realizaste tu trabajo:

	Siempre	A veces	Me falta hacerlo
Busco la información necesaria para mi trabajo.			
Participo en clase.			

Me propongo mejorar en: _____

_____

tierno
grande
liso
verde

PROYECTO: Planear, realizar, analizar y reportar una encuesta

El propósito de este proyecto es conocer las herramientas para planificar la realización de una encuesta, la analices y difundas sus resultados.

Para este proyecto necesitarás:

● encuestas y resultados

Lo que conozco

¿Alguna vez te han preguntado tu opinión sobre algún producto o servicio? ¿Qué es una encuesta y para qué sirve? ¿Cómo puedes elaborar una encuesta? Comenta con tus compañeros.

Alimentación de niñas y niños en edad escolar

La desnutrición se da con mayor frecuencia entre las niñas y los niños menores de cinco años que son alimentados deficientemente; cuando la desnutrición se prolonga afecta su crecimiento y desarrollo, lo que los hace más propensos a contraer enfermedades infecciosas y a otros problemas de salud. La obesidad, al contrario de la desnutrición, se presenta por el exceso en el consumo de alimentos con alto contenido calórico.

Otros niños no sufren estas situaciones, pero sí carencias de vitaminas y minerales por no consumir verduras y frutas, lo que les origina padecimientos como anemia por falta de hierro, ceguera nocturna por deficiencia de vitamina A, o bocio por falta de yodo. La caries es otro de los problemas que se presentan de manera frecuente en los niños que acuden a la escuela; es una enfermedad ocasionada por los malos hábitos alimentarios, que se caracteriza por la desnutrición progresiva de los tejidos de los dientes, por la descalcificación, así como por la pérdida del esmalte protector que los rodea.

Todos estos problemas requieren la intervención de la familia, de los docentes y de la comunidad en general, ya que si no se previenen o atienden las consecuencias en la salud, el crecimiento y el desarrollo de los niños, y en su rendimiento escolar, pueden ser graves.

La Procuraduría Federal del Consumidor (Profeco) realiza una encuesta para conocer cuáles son los alimentos o productos que los niños consumen, que pueden ocasionar algún problema de salud. Lee los resultados de dichas encuestas.

Consumo de alimentos en la población infantil

Objetivo
- Identificar los hábitos entre la población infantil que cursa primaria.

Población
- Se obtuvieron 251 respuestas de 30 estados mediante la aplicación de un sondeo en línea.

Fecha de realización
- Del 1 de junio al 12 de agosto de 2009.

Principales resultados
- Más de la mitad (57%) de los niños lleva a la escuela *lunch* preparado en casa, que incluye principalmente (71%) tacos, tortas y sandwiches.
- Casi tres cuartas partes (74%) mencionó que su hijo(a) compra alimentos o bebidas en la escuela. Principalmente golosinas (55%), jugos envasados (52%) y frituras (48%).
- Casi la mitad (44%) dijo que su hijo(a) compra alimentos o bebidas al salir de la escuela. Principalmente golosinas (26%) y frituras (22%).
- Los niños practican algún deporte 4 horas a la semana en promedio.
- Los niños ven televisión o videojuegos 3 horas diarias en promedio.

¿Su hijo(a) consume en la escuela un *lunch* preparado en casa?

Siempre 57%
A veces 36%
Nunca 7%

¿Qué incluye el *lunch* preparado en casa? (por número de menciones)

Tortas, tacos, sandwiches — 71%
Frutas y verduras — 45%
Jugos envasados — 42%
Agua de frutas — 37%
Lácteos — 37%
Pan y cereales — 35%
Alimentos envasados — 10%
Refresco — 3%

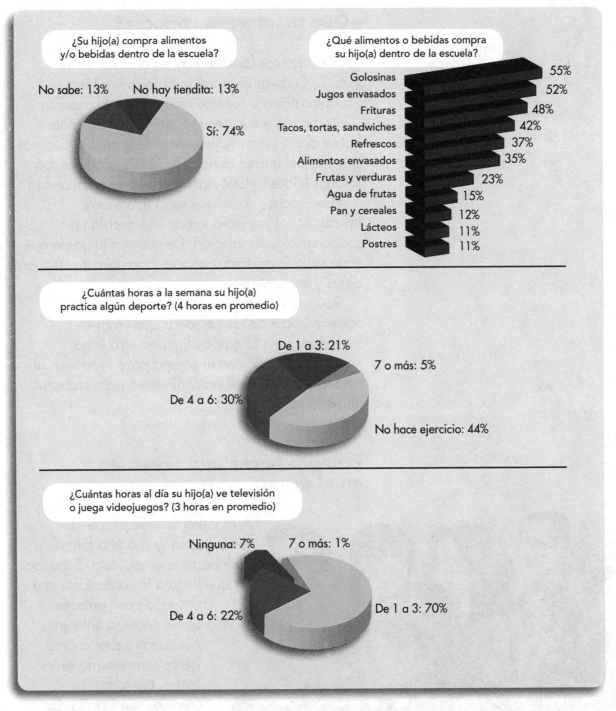

¿Su hijo(a) compra alimentos y/o bebidas dentro de la escuela?

No sabe: 13% No hay tiendita: 13% Sí: 74%

¿Qué alimentos o bebidas compra su hijo(a) dentro de la escuela?

Golosinas 55%
Jugos envasados 52%
Frituras 48%
Tacos, tortas, sandwiches 42%
Refrescos 37%
Alimentos envasados 35%
Frutas y verduras 23%
Agua de frutas 15%
Pan y cereales 12%
Lácteos 11%
Postres 11%

¿Cuántas horas a la semana su hijo(a) practica algún deporte? (4 horas en promedio)

De 1 a 3: 21% 7 o más: 5% De 4 a 6: 30% No hace ejercicio: 44%

¿Cuántas horas al día su hijo(a) ve televisión o juega videojuegos? (3 horas en promedio)

Ninguna: 7% 7 o más: 1% De 4 a 6: 22% De 1 a 3: 70%

Escribe en tu cuaderno las respuestas a los siguientes planteamientos.

- ¿Cuál es el objetivo de esta encuesta?
- ¿Para qué puede servir esta información?
- ¿Qué es lo que entiendes en las gráficas que se te presentan?

- ¿Qué preguntas hizo el encuestador para obtener esta información?
- ¿Cuáles piensas que eran las opciones para cada pregunta?

Compara tus respuestas con el resto del grupo.

¿Qué te interesa conocer?

¿Sabes cuántas familias hay en el lugar donde vives? ¿Cuántos hombres y mujeres?, o bien, ¿cuántas niñas y cuántos niños, como tú, acuden a la primaria y a la secundaria? ¿Cuánta gente habla algún idioma diferente del español? ¿Cuántos practican el mismo deporte? ¿Qué periódicos son los más leídos? ¿Qué animales hay en tu localidad?

Hay muchos datos que sería interesante investigar, tal vez para tomar una decisión o proponer alguna solución. Decide con tu grupo qué tema sería importante conocer, para que investiguen datos y los publiquen.

Reúnete en equipo para conocer sobre las características de las personas que viven en tu localidad; si en tu grupo eligieron otro tema, ponte de acuerdo con tu equipo para investigar al respecto. ¿Cuál es el procedimiento para elaborar una encuesta?

Primero hacer una encuesta en el grupo

A manera de ejemplo pueden trabajar en grupo una forma de elaborar una encuesta. Supongan que llega a la comunidad una campaña para detectar quién necesita anteojos. Necesitan saber cuánta gente sabe que necesita lentes. No todos los anteojos son iguales; se requiere conocer cuántas mujeres, cuántos hombres, y de qué edades. Es deseable saber qué porcentaje de la comunidad familiar de tu grupo sabe que necesita usar lentes.

Investiguen primero cuántos integrantes tienen las familias de cada alumno del grupo. ¿Cómo redactarían la pregunta? Escríbanla a continuación:

_____

_____

Ahora necesitan saber cuántos hombres, cuántas mujeres y de qué edades son los integrantes de cada familia. La pregunta podría ser formulada así:

Del total de integrantes de tu familia, ¿cuántas son mujeres? _____

¿Cuántos son hombres?_____

¿Cómo preguntarían las edades de los miembros de cada familia? Elaboren una forma de preguntar:

_____

_____

Ahora necesitan conocer cuántos de los elementos de la familia saben que necesitan usar lentes. ¿Cómo plantearían la pregunta? Comenten y anoten la pregunta en el pizarrón. ¿Están todos de acuerdo? A continuación organicen en su cuaderno las preguntas del cuestionario que aplicarán en casa:

_____

_____

Encuesta a cada miembro de tu familia; incluye las respuestas que se refieren a ti. Con los datos que obtuviste, haz una lista de las respuestas en tu cuaderno. Acuerda con tu grupo qué formato les es útil para dar orden a la información: ¿tablas, listas, tablas de frecuencia, cuadros? Revisa tu libro de Matemáticas; ahí encontrarás algunas opciones para organizar la información.

Fichero del saber

En las encuestas hay preguntas cerradas (tienen dos o más posibles respuestas ya establecidas) y preguntas abiertas (se puede contestar libremente). También hay preguntas mixtas: dan opciones cerradas pero consideran que puede haber otras respuestas y dejan el espacio para que se expresen. Anota un ejemplo de cada una de estas preguntas e incorpóralos en tu fichero.

Verifica tu encuesta

Verifica los datos de tu encuesta y responde las siguientes preguntas:

- ¿Cuántas personas, incluyendo ustedes, fueron encuestadas?
- ¿Cuántas mujeres y cuántos hombres?
- ¿Cuántas personas dijeron saber que necesitaban usar lentes?
- ¿Cuántas de esas personas fueron mujeres y cuántos hombres?

Puedes obtener algunos porcentajes:

- De los encuestados, ¿qué porcentaje sabe que requiere usar lentes?
- De las personas que saben que requieren lentes, ¿qué porcentaje son mujeres y qué porcentaje son hombres?

Si pudieron responder todas estas preguntas, su investigación y su encuesta estuvieron bien elaboradas. Si no pueden responder, revisen con su maestro y su grupo qué falló en el proceso.

Los resultados de una encuesta se pueden organizar gráficamente para que, con una sola mirada, se observe qué opciones seleccionaron en mayor medida los encuestados; por ejemplo, las gráficas de barras. Investiga en tu libro de Matemáticas de qué otra manera se pueden graficar los resultados.

Diseñar la encuesta para el proyecto

Elaboren en equipo una encuesta sobre el tema elegido anteriormente. Formulen algunas preguntas. Escríbanlas y organícenlas en su cuaderno.

A partir de lo que desean averiguar y de a quién entrevistarán: ¿cómo redactarán las preguntas? Escriban las posibles respuestas que darán los encuestados.

Ordenen las preguntas de lo general a lo particular. ¿Con esas preguntas es suficiente?, ¿se obtienen todos los datos que deseas averiguar?, ¿las opciones de respuesta son claras?

Recuerden que las preguntas pueden ser de respuesta abierta o cerrada, según lo que se desee saber.

Ejemplo de pregunta cerrada:

¿Cuántos menores de 18 años hay en tu familia?

a) 1

b) 2 a 3

c) 4 a 5

d) Más de 6

Ejemplo de pregunta abierta:

(Si dijeron que sí hay personas que hablen una lengua diferente al español)

¿Qué lengua diferente al español hablan?

Mi diccionario

A lo largo de este proyecto, seguramente conociste tecnicismos que utilizan los encuestadores. También tus informantes, en sus respuestas, habrán utilizado palabras cuyo significado tal vez desconozcas. Es momento de anotar nuevas palabras: *informante, perfil e interpretar* son palabras que tienen un significado en el mundo de las encuestas. Acuerda una definición con tus compañeros.

Ahora, revisen la redacción: ¿utilizaron adecuadamente los signos de interrogación en todas las preguntas? ¿Las preguntas son claras y sencillas? Seleccionen las preguntas que utilizarán y elaboren un listado con las que eligieron.

Revisen con su maestro cada pregunta. Hagan los ajustes necesarios y, cuando estén listas, reprodúzcanlas o fotocópienlas, dejando espacios para las respuestas.

Ahora sí, ¡manos a la obra!

¿Desea contestar una encuesta?

Cuando lleguen con la persona que van a encuestar (se llaman informantes), preséntense, pregunten si desea contestar una encuesta y coméntenle que no le tomará mucho tiempo hacerlo.

Pregunten en forma clara y repitan las preguntas cuantas veces sea necesario. Escriban en forma clara las respuestas.

La interpretación de resultados

Es momento de interpretar los resultados de sus encuestas. Revisen en equipo cada uno de los cuestionarios y coméntenlos. Busquen una forma de agruparlos.

Elaboren un formato en el que puedan contar cuántas veces se repite el mismo tipo de respuesta para cada pregunta. Comenten en equipo:

- ¿Obtuvieron los resultados esperados?
- ¿Hubo sorpresas?
- ¿Funcionaron sus preguntas?

Seguramente las encuestas arrojaron resultados interesantes para ti y para el resto del grupo.

Reúnan la información y redacten un reporte breve en el que expongan los resultados.

¿Qué objetivo tenía la encuesta? ¿Qué preguntas elaboraron? ¿Qué tipo de respuestas obtuvieron? ¿Hubo algunas respuestas inesperadas o diferentes a las que pensaron? ¿Qué pueden concluir de los resultados?

Para presentarla, organicen tablas de información, gráficas de frecuencias, gráfica de barras o de pastel. Busquen diferentes formas de presentar los resultados, utilicen hojas grandes y colores para atraer el interés de sus compañeros.

Producto final

Revisen la ortografía, puntuación y uso de signos de interrogación. Presenten su trabajo al resto del grupo. Al exponer, utilicen expresiones comunes entre quienes interpretan encuestas: *todos, solamente una mínima parte, la mayoría, como era de esperarse; por un lado, por el otro lado, asimismo, por el contrario; primero, segundo, tercero.*

Logros del proyecto

Comenta con tus compañeros:

- ¿Qué información consiguieron para su grupo?
- ¿Obtuvieron datos que no esperaban?, ¿cuáles?
- ¿Cuál es la utilidad de una encuesta?

Autoevaluación

Es tiempo de revisar lo que has aprendido después de trabajar en este proyecto. Lee cada enunciado y marca con una palomita (✓) la opción con la cual te identificas.

	Lo hago muy bien	Lo hago a veces y puedo mejorar	Necesito ayuda para hacerlo
Elaboro adecuadamente las preguntas para una encuesta.			
Utilizo correctamente los signos de interrogación al elaborar una pregunta.			
Completo con tablas o gráficos los textos que escribo.			

Marca con una palomita (✓) la opción que diga la manera como realizaste tu trabajo:

	Siempre	A veces	Me falta hacerlo
Logro organizarme con mi equipo para trabajar.			
Participo en la toma de acuerdos grupales.			

Me propongo mejorar en: _____

_____

Evaluación del bloque V

Es tiempo de que revises lo que has aprendido después de trabajar en este bloque. Lee cada enunciado y subraya la opción que consideres correcta.

1. El texto: "Tiene ojos cafés, pequeños, labios gruesos, nariz muy grande y un lunar en la mejilla", es un ejemplo de:

   a) Concepto.

   b) Definición.

   c) Descripción.

   d) Narración.

2. Las comparaciones y metáforas se utilizan en una descripción:

   a) Informativa.

   b) Imaginaria.

   c) Objetiva.

   d) Subjetiva.

3. Para describir una persona resulta muy útil el empleo de:

   a) Adjetivos calificativos.

   b) Recomendaciones de libros.

   c) Consejos familiares.

   d) Enumeración de verbos.

4. Es frecuente encontrar descripciones de personas en:

   a) Recetas de cocina.

   b) Novelas.

   c) Artículos científicos.

   d) Coplas.

5. Para elaborar las preguntas de una encuesta, es necesario utilizar:

   a) Guiones y comillas.

   b) Signos de admiración.

   c) Signos de interrogación.

   d) Parlamentos de personajes.

6. Es más probable encontrar una encuesta en:

   a) Periódicos y revistas.

   b) El recetario del grupo.

   c) Un diccionario.

   d) Una novela.

7. Para elaborar las preguntas de una encuesta, necesitamos tener claro:

   a) La finalidad de las preguntas.

   b) El tema de la encuesta.

   c) La cantidad de encuestas que se hacen en México.

   d) La forma de graficar los resultados.

8. Los resultados de una encuesta se ordenan y sistematizan por medio de:

   a) Diccionarios, revistas, libros.

   b) Textos instruccionales.

   c) Tablas de frecuencia, gráficas, cuadros.

   d) Reportes e informes.

9. Las preguntas cerradas son aquellas que:

   a) Nadie responde.

   b) Contesta el informante con sus propias palabras.

   c) Se pueden responder con datos estadísticos.

   d) Tienen dos o más posibles opciones de respuestas ya establecidas.

10. Elabora un pequeño texto en que expongas lo más importante de lo aprendido durante estos tres proyectos. Cuida tu redacción y ortografía.

_____

_____

_____

Bibliografía

Alamán, Lucas, "Libro segundo, capítulo VII. Gobierno de Iturbide como emperador" en *Historia de Méjico: desde los primeros movimientos que prepararon su independencia en el año de 1808 hasta la época presente*, V. México, Imprenta de J. M. Lara, 1852, págs. 632-633.

Arróniz, Marcos, "Capítulo III. Méjico independiente" en *Manual de historia y cronología de Méjico*. París, Librería de Rosa y Bouret, 1858, págs. 219-220.

Ávila, Alfredo, "Agustín de Iturbide. ¿Cuál fue su delito?" en *Relatos e historias de México*, año II, núm. 19, marzo 2010, págs. 49-50.

Barrientos Priego, Alejandro F., "El aguacate" en *Biodiversitas* 88, México, Conabio, 2010. págs. 1-7.

Bornemann, Elsa, "No te cuento" en *Amorcitos Sub-14*. México, SEP/Santillana, 2004, pág. 34.

Carpio, Manuel, "La llorona" en *Poesías*. Biografía por José Bernardo Couto, 2ª ed. México, Imprenta de Andrade y Escalante, 1860, pág. 235.

Ceballos, Ciro B., *Panorama mexicano 1890-1910*. México, UNAM, 2006, pág. 394.

CENAPRED, Desastres. Guía de prevención. México, Secretaría de Gobernación/ Centro Nacional de Prevención de Desastres, 2006.

Cosío Villegas, Daniel y otros, *Historia mínima de México*. México, El Colegio de México, 2002. 181 págs.

Felder, Elsa Nelly y Luis Hernán Rodríguez Felder, "El príncipe rana" en *Obras de teatro infantil*. Buenos Aires, Grupo Imaginador de Ediciones, 2005, págs. 5-10.

Fedro, "El perro y el trozo de carne" en *Fábulas*. Madrid, Akal/Clásica, 1998, págs. 172-173.

Gispert, Carlos, Enciclopedia *Océano de la Ecología*, 2. Barcelona, Océano, 1996, 224 págs.

González Obregón, Luis, "La Mulata de Córdoba" en *México viejo* [1895]. México, Promexa, 1979, págs. 335-339.

Gutiérrez Nájera, Manuel, "La duquesa Job" en José Emilio Pacheco, intr., sel., y not., *Antología del modernismo* (1884-1921). México, UNAM/Era, 1999, pág. 11.

Ibarbourou, Juana de, *Poemas*. Buenos Aires, Espasa-Calpe, 1942, pág. 112.

López, Rafael y Julián Carrillo, *Canto a la bandera*. México, SEP, 1948. 7 págs.

Martí, José, "Dos milagros" en *Poesía completa*. La Habana, Letras Cubanas, 1993, pág. 217.

Olín Martínez, José Luis, "Organismos genéticamente modificados: una opción" en *Revista Ciencia y Desarrollo*, vol. 34, núm. 225, noviembre 2008, en www.conacyt.mx [20 de febrero de 2010].

Ortiz de Montellano, Bernardo, *Obra poética*. México, UNAM, 2005, pág. 89.

Pacheco, José Emilio, *Tarde o temprano*. México, FCE, 2000. pág. 590.

Pedroni, José, *Cantos del hombre*. Santa Fe, Argentina, Castellvi, 1960, p. 114.

PROFECO, "Consumo de alimentos en la población infantil", México, en www.profeco.gob.mx [24 de febrero de 2010].

Quevedo, Francisco de, *Poemas escogidos*. Madrid, Castalia, 1989, pág. 188.

Quintero Sánchez, Rubén, "El cultivo del aguacate orgánico en México". México, Cesavesin, 2002, en www.cesavesin.gob.mx [20 de febrero de 2010].

Quiroga, Horacio, *Cuentos de la selva para los niños*. Buenos Aires, Losada, 1960, 101 págs.

Roa Bárcena, José María, "La Llorona" en *Obras, vi, Novelas cortas*. México, Imprenta de Victoriano Agüeros, 1910, págs. 263-269.

Samaniego, Félix María, "El cuervo y el zorro" en *Fábulas en verso castellano para el uso del Real Seminario Bascongado*. Barcelona, Imprenta de Sierra y Martí, 1826, págs. 113-114.

Samaniego, Félix María, "El león y el ratón" en Fábulas en verso castellano para el uso del Real Seminario Bascongado. Barcelona, Imprenta de Sierra y Martí, 1826, págs. 85-86.

Sámano, Reyna, Luz María de Regil y Esther Casanueva, "¿Estás comiendo bien?" en *¿Cómo ves? Revista de divulgación de la ciencia de la* UNAM, año 10, núm. 110, enero 2008, págs. 10-14.

SEMARNAT, "El impacto humano en el ambiente", México, SEMARNAT, 2008, en www.semarnat.gob.mx [20 de enero de 2010].

Tablada, José Juan, "Tierno sauz", "La luna" y "Sandía" en *Los mejores poemas*. México, UNAM, 1993, págs. 53, 55 y 58.

Trujillo, Julio, "Prólogo" a José Emilio Pacheco, *Gotas de lluvia y otros poemas para niños y jóvenes*. México, Era/SEP, (col. Libros del Rincón) 2005.

Turnbull, Stephanie, *La basura y el reciclaje*. México, SEP/Océano, 2007.

Urbina, Luis G., *Los cien mejores poemas*. México, Aguilar, 1969, pág. 73.

Vázquez, Josefina Zoraida, "El establecimiento del México independiente (1821-1848)" en Gisela von Wobeser, coord., *Historia de México*. México, FCE/SEP/Academia Mexicana de Historia, 2010, págs. 163-183.

Español. Quinto Grado se imprimió por encargo
de la Comisión Nacional de Libros de Texto Gratuitos,
en los talleres de Reproducciones Fotomecánicas, S.A. de C.V.,
con domicilio en Democracias No. 116,
Col. San Miguel Amantla,
Delegación Azcapotzalco,
C.P. 02700, México, D.F.,
en el mes de marzo de 2011.
El tiro fue de 2'901,850 ejemplares.

Impreso en papel reciclado

¿Qué opinas de tu libro?

De acuerdo con tu opinión, marca con una palomita (✓) la calificación que le otorgas a cada una de las afirmaciones que aparecen sobre este libro de texto de *Español, quinto grado*.

Categorías	5	6	7	8	9	10
Me gusta mi libro.						
Me gusta la portada.						
El índice me brinda la información que necesito.						
Entendí el lenguaje utilizado.						
Me gustan las imágenes que aparecen en el libro.						
Las imágenes me ayudaron a comprender el tema tratado.						
Los proyectos me permitieron lograr los aprendizajes esperados.						
Las instrucciones para realizar las actividades me resultaron fáciles de entender.						

¡Gracias por tu participación!

SEP

Dirección General de Materiales Educativos
Dirección de Desarrollo e Innovación de Materiales Educativos
Viaducto Río de la Piedad 507, cuarto piso,
Granjas México, Iztacalco,
08400, México, D. F.

Entidad: _____

Escuela: _____

Turno:　　Matutino ☐　　Vespertino ☐　　Escuela de tiempo completo ☐

Nombre del alumno: _____

Domicilio del alumno: _____

_____

Grado: _____